RÊVE D'ÉVEIL

collection 'Témoins du Réel'
dirigée par René Allain

Déjà parus dans la même collection :

- *Ouverture spirituelle et travail sur soi*, de Roger Savoie
- *La Femme, l'amour, la liberté*, d'Osho
- *Pretres et politiciens : la mafia de l'âme*, d'Osho
- *Message des Himalayas (Babaji)*, de Maria Gabriele Wosien
- *Yogi Ramsuratkumar, le divin mendiant*, de Michel Coquet
- *Babaji, ou la rencontre de la Vérité*, de Shdema Goodman
- *Frère Antoine le Cosmomoine*, de Frère Antoine

© 1997, A.L.T.E.S.S.
Rêve d'éveil
ISBN 2.84243.007.7
Collection 'Témoins du Réel', ISSN 1254-7344
Illustration de couverture : David Ciussi

Éditions A.L.T.E.S.S.

A : Art
L : Littératures
T : Témoignages
E : Écologie
S : Santé
S : Spiritualité

Fondée au printemps 1990,
la Société d'Édition A.L.T.E.S.S.
a été créée dans le but de contribuer à l'éveil
et à l'épanouissement du plein potentiel humain.

A.L.T.E.S.S, B.P. 72, 77833 OZOIR Cedex (France)
Tél. 01.64.40.35.89 — Fax 01.64.40.27.57

David CIUSSI

RÊVE D'ÉVEIL

Préambule et questions de
Jean-Michel CARNOY

A. L. T. E. S. S.
Paris

Remerciements

Je remercie tous ceux qui ont permis la naissance de ce livre, notamment mon épouse, mes filles, Estelle, Mélanie pour les dessins, ainsi que Michel. Julien, mon petit-fils adoré, Hubert pour sa patience et son amitié, Jill-Patrice et Vladimir pour leurs sages conseils et leurs qualités humaines, et Jean-Michel Carnoy pour la pertinence de ses questions, ainsi qu'une Mère-veilleuse fée qui se reconnaîtra.

Ce livre est la symphonie du silence, où l'on entend couler une source simple et joyeuse.

Les mots qui dessinent ces pages, peignent l'émerveillement et le miracle de la vie.

PRÉFACE

David Ciussi a 51 ans. Il est marié, père de deux enfants. À 49 ans, sa vie s'est illuminée !

David n'est pas un littéraire : c'est un homme simple, joyeux et intuitif. Sa douce présence et son regard d'enfant animent la flamme de notre étonnement d'être.
Pourquoi la vie a-t-elle choisi de se révéler à travers cet homme ordinaire ? Mystère.

Son parcours de chercheur a été jalonné d'expériences, qui lui ont permis de "voir" les chemins de l'ignorance.

Son témoignage du sacré s'écoule à travers un langage parlé, "télégraphique", accessible, symbolique, descriptif, très simple, presque naïf. David aime à dire : « Les enfants se reconnaîtront. »

En sa présence, fraîcheur et contagion ne s'expliquent pas. Nous sommes immédiatement plongés au cœur de notre source.

PRÉAMBULE

Présentation du chercheur par
Jean-Michel Carnoy

QUI SUIS-JE ?

Il n'y a jamais eu un être humain qui ne naisse ni ne vive sans cette question brûlante.

Pourquoi et comment certains en sont plus conscients que d'autres ? Pourquoi certains vont-ils rechercher ou "tomber" par hasard sur le genre de livre que vous êtes en train de lire, alors que d'autres n'éprouveront que mépris ou désintérêt pour la question ? Mystère. Toujours est-il que certains organisent toute leur vie autour de cette question, et passent des années à explorer des voies de réponses.
Ce n'est pas nouveau. L'histoire est jalonnée de témoignages de chercheurs remarquables et de "trouveurs" géniaux. Mais l'histoire est aussi jalonnée de personnages qui, d'une façon ou d'une autre, chacun à leur façon, ont prétendu avoir répondu à la question.
On en a fait des saints, des prophètes, des messies, des dieux, des fous, des sages ; on les a surtout beaucoup ignorés, ce dont ils ne se plaignaient pas d'ailleurs...

On les a d'autant plus ignorés que l'ambiance historique avait des parfums profanes.

De nos jours, en ces années d'apogée d'une civilisation matérialiste, technologique et scientifique, où l'homme essaie de détourner la question en recherchant le bonheur par le progrès matériel, et où il s'aperçoit que ses réponses posent plus de problèmes qu'elles n'apportent de solutions, le retour du sacré se fait en force et de façon sauvage, les "chercheurs" prolifèrent, les "trouveurs" aussi.

C'est peut-être le moment d'interroger ceux qui prétendent avoir répondu à cette question qui épuise toutes les autres : ceux qu'on appelle "éveillés".

Doit-on se poser la question de l'authenticité de leur témoignage ? Certainement ! Mais ne faisons pas de cette question un alibi a priori pour ne pas les rencontrer, pour ne pas les écouter ! Alibi qui fonctionne d'autant mieux qu'il est quasiment impossible d'établir des critères de véracité et de qualité de leur témoignage...

Alors, direz-vous, c'est une question de foi ? Non. C'est une question de qualité de relation entre vous et vous : si vous vivez votre question avec une grande intensité et une grande sincérité, en utilisant toute la discrimination dont vous êtes capable, vous mettez alors en fonction un processus par lequel "l'ordre des coïncidences" vous mettra en présence de ce et de ceux dont vous aurez besoin pour avancer en affermissant chacun de vos pas.

Autrement dit, vous seul êtes le critère vivant de l'authenticité de ce que vous avez en face de vous...

Bien sûr, ce n'est pas facile ; nous sommes habitués à appliquer des critères "bon-mauvais, vrai-faux, utile-dangereux" qui sont des critères de seconde main, que l'on a appris et qui nous ont été imposés. Il faut sortir de cette dépendance vis-à-vis de l'opinion générale, au sens commun, sortir du manichéisme facile, et oser se forger soi-même son opinion en prenant le risque d'aller voir, de s'informer, sans a priori, sans jugement. C'est très difficile de discriminer sans juger, mais après tout, n'est-ce pas là une attitude scientifique ?...

Je vous demande donc, pour l'instant, où que vous en soyez dans votre quête personnelle, de ne pas lire ce livre en vous référant à votre répertoire intérieur de connaissances, mais en vous référant à votre façon unique de vous poser sincèrement la question : "Qui suis-je ?"

Essayons de nous rencontrer dans nos mécanismes de chercheur, de trouveur, et essayons ensuite de rencontrer le témoignage d'un de ceux qui, après avoir cherché des réponses, prétend être devenu la question vivante qui étanche la soif de toutes les questions, un de ceux qu'on appelle "éveillés".

Après vingt-cinq ans de recherches et des milliers de rencontres avec des chercheurs, des trouveurs et des éveillés aux quatre coins du monde, je me suis aperçu que s'il y a autant de différences que d'individus, il y a aussi des constantes dans le scénario "chercheur/trouveur", et dans le témoignage de l'éveil.

Côté chercheurs, l'éducation étant ce qu'elle est, notre curiosité naturelle nous contraint en général à explorer plutôt notre environnement extérieur qu'intérieur, en nous appuyant sur une démarche objective de connaissances.

Ce qui conduit à la frustration d'un savoir qui recule au fur et à mesure que les connaissances s'accumulent.

Ce qui conduit aussi à privilégier l'efficacité au détriment du sens (nous sommes des « crétins efficaces », comme dit Albert Jacquard), l'analyse au détriment de la synthèse, l'objet au détriment du sujet. Celui-ci n'y trouve pas un supplément d'âme, mais se laisse fasciner par l'infinité des formes et des structures d'un monde qui l'entoure comme un décor dont il va examiner tous les détails (du microscopique au macroscopique), élaborant des technologies de plus en plus sophistiquées, et accordant une valeur de vérité à toute découverte (mineure ou majeure).

Nous avons été nombreux dans les années 60 à remettre en question cette approche de la connaissance et son cortège de conséquences politiques, sociales, économiques et scientifiques. Nous nous sommes, en grands nombres, tournés vers une recherche plus intériorisée via la philosophie ou la psychologie, ou encore les psychotropes.

L'utilisation des drogues est très délicate (mises à part leur nocivité et l'addiction que certaines induisent), car il faut une énorme puissance d'introspection (comme celle d'Henri Michaux), ou un accompagnement initiatique sérieux (comme celui de Castaneda), pour ne pas tomber dans le même piège que celui de la démarche scientifique : explorer à l'infini la variété du décor en se laissant fasciner par le contenu de l'expérience, et **perdre de vue l'enjeu de la recherche, à savoir le chercheur.**

C'est pourquoi nous nous sommes tournés aussi vers les techniques d'introspection et de méditation venues d'Orient. Là encore, nous sommes tombés dans le piège, car les détails du décor de l'intériorité sont aussi fascinants que celui de l'extériorité. On finit par confondre le but et les moyens, et se complaire dans les expériences et les connaissances (qui semblent d'autant plus vraies qu'elles documentent l'absolu, Dieu, l'éternité, l'invariant, l'infini, etc.).

On devient très vite un fonctionnaire de la transcendance dogmatique et parfois sectaire.

En conclusion, le chercheur se transforme vite en "trouveur", quelle que soit la façon dont il accommode sa découverte (scientifique, spirituelle, etc.).

En fait, je pense que l'on progresse tous à l'intérieur d'une impasse : qu'on explore le territoire de l'extériorité ou de l'intériorité, nous nous laissons enfermer dans les limites d'un territoire dont les frontières sont posées par le mental et qui préservent et justifient notre ego pathologique de chercheur de vérité. Comme il est très difficile de s'avouer que l'on tourne en rond dans une impasse depuis dix, vingt, trente ans ou plus, on s'enferme alors dans des chapelles scientifiques, religieuses, philosophiques et politiques, afin de défendre des croyances qui nous sécurisent.

Côté "éveillés", j'ai rencontré autant d'éveils que d'éveillés, chacun ayant sa façon unique de témoigner. Mais le témoignage offre toujours des constantes : paix intérieure, non-séparation, silence sous-jacent à toute activité, liberté, improvisation joyeuse du jeu de la vie, et surtout abolition de toute notion de frontière et de territoire. Alors que nous avons une vision dualiste des choses, opposant toujours la chose à son contraire, l'éveillé ne voit qu'unité, absence de paradoxe et d'opposition, y compris au sein de la durée : nous nous situons dans un espace-temps, il est dans la simultanéité.

Nous regardons la même chose, mais d'un point de vue très différent. Il nous dit : « Tu es déjà cela, deviens ce que tu es », et nous ne pouvons pas nous empêcher d'en faire une recherche, un objectif, une question, une revendication d'explication.

À partir de là, le dialogue est difficile et extrêmement déstabilisant, désorientant. S'il est vrai que nous sommes déjà dehors, alors nous cheminons sur un chemin sans chemin, vers un but sans but ! Mais nous ne le savons pas (ou ne voulons pas le savoir), et le fait de chercher la sortie nous place dans le labyrinthe de notre recherche du bonheur.

Je trouve que l'aventure intérieure ressemble à ces jeux d'ordinateur (dont le jeu de l'Oie est un ancêtre), où l'on voit des héros déjouer des centaines de pièges pour avancer vers l'objet de leur quête : il y a un scénario dont les grandes lignes sont universelles et dont il existe des passages obligés, et des pièges incontournables, quel que soit le contexte historique, géographique et culturel. C'est sans doute la raison pour laquelle dans toutes les traditions on retrouve les mêmes contes initiatiques qui racontent finalement la même histoire : contes africains, contes soufi, contes zen, contes de la chevalerie médiévale…, tous racontent à leur façon le difficile parcours de celui qui, partant de relations conflictuelles avec l'extérieur, découvre ses propres conflits intérieurs, et les dépassant, s'avance vers les "noces mystiques" avec son "bien-aimé" qui n'est autre que lui-même totalement réconcilié, unifié, RELIÉ.

On serait tenté, à partir de là, de conclure que la recherche intérieure doit explorer l'espace de la relation. Mais on sent aussitôt se mettre en place le labyrinthe et le piège du territoire... encore piégé, et retour à la case départ ! Comme il est tentant d'avoir l'impression d'avoir compris !

Aussitôt, on mobilise ses énergies, et on met toute son ardeur dans la pratique d'une ascèse. On suit les instructions, on s'abreuve à la source de la "connaissance suprême" pour mieux surmonter les obstacles et arriver (si possible avant les autres...) devant le portail grand ouvert de la "Terre promise". Et si tout ce travail dans le labyrinthe n'était qu'une préparation savamment mise en scène et encouragée par les différentes traditions pour mieux nous permettre d'arriver à ce moment crucial de la confusion à partir de laquelle il devient possible de réaliser l'absurdité de toute recherche ? Si l'on admet le postulat que nous sommes déjà dehors, toute tentative pour sortir nous enferme...

Il me semble que c'est à partir d'un certain état de confusion que la vraie rencontre avec un maître ou un enseignement devient aussi inévitable que fructueuse (n'est-ce pas d'ailleurs ce que raconte la *Bhâgavad Gîtâ* ?).

Pour ma part, c'est lorsque j'ai pris le risque de remettre en question mes croyances et mes certitudes que plusieurs éveillés ont croisé ma route "comme par hasard", renouvelant complètement ma démarche de chercheur.

En parlant avec des amis qui, comme moi, cherchent avec ardeur et sincérité depuis longtemps, je me suis rendu compte que si l'on accepte de dénoncer ses croyances, le bilan se résume à cette analogie :

Depuis longtemps j'escalade une falaise abrupte en pensant bientôt parvenir au sommet. À force de monter, je suis arrivé dans des endroit élevés et j'ai connu de nombreuses extases devant la beauté des paysages. Puis, tout d'un coup, je réalise que je suis sur une paroi verticale, en plein brouillard, qu'il est impossible de faire marche arrière. Je ne sais même plus s'il existe un sommet… Je suis seul. Je ne sais pas où je suis, ni ce que je fais là. Toute notion d'objectif est absurde, et pourtant je continue à avancer, mais vers quoi ? Et pourquoi ? Toute vérité qui se présente engendre immédiatement son contraire. L'action n'a plus de sens car je n'arrive pas à choisir une identité crédible… Ma mémoire vacille et parfois défaille :

QUI SUIS-JE ?

INTRODUCTION

À chaque individu son éveil, sa qualité, sa couleur, sa lumière, son parfum, son rythme et son expression de vie.

Les étapes que je suggère sont faites pour savourer votre bouquet d'universalité.

J'aimerais que ce livre rende la "divinité" à l'humain.

Chacun doit faire son expérience, et reconnaître son voyage d'ici à ici.

Je ne peux pas vous aider à trouver quelque chose, ce n'est pas un objet que l'on recherche, c'est un acte de conscience à réaliser.
Ne soyez pas dépendant du "rêve de l'éveil", ni de "l'éveillé".

Pas de mimétisme, pas de clonage psychologique.

Vous êtes votre propre référence : JE.

Chacun est son propre *"top-model"*.

Renaissez à votre dignité, reconnaissez votre humanité, et aimez-vous. Comme vous êtes, vous êtes parfait.

Si vous pouviez voir tous les fils invisibles qui tissent votre existence, votre reconnaissance pour le miracle de la vie serait infinie.

Le regard limité que l'on porte sur soi revient à voir un tapis à l'envers. On n'en perçoit pas le dessin. ·
Puis, un jour, passe **un non-marchand de rêve** et il dit :

"Retourne ton tapis, et vois."
"Retourne ton regard, et vois."

Voyant l'endroit et l'envers,

la matière et la lumière,

À genoux je suis tombé,

pleurant comme un nouveau-né.

Où est ce désert aride, ce désert impitoyable ?

Je ne vois qu'oasis et eau coulant sur le sable,

Fraîcheur de la nuit, chaleur douce de la journée,

En tout instant, je suis un nouveau-né.

Mes larmes coulent souvent devant la beauté de la rencontre, mais mon cœur pleure aussi quand la communication n'est pas là.

L'éveil n'apporte rien en plus : il délivre.
Il ne donne ni la sécurité ni le confort. Ce n'est pas
un acquis. L'éveil est une naissance perpétuelle.
C'est le printemps de la vie.
Voyez comme c'est simple : "la bien-veillance",
l'amour de la vie, "l'espacité infinie".

Rencontrer un éveillé, **c'est prendre le risque de vous rencontrer** : au-delà des masques, des apparences, de vos
propres croyances.

Ce n'est pas un homme que l'on rencontre, **c'est vous qui
vous rencontrez**, au-delà de vous-même, pour vous retrouver, renaître, redevenir vivant.
À bas les masques !!! Vive la vie. Vivent les masques
quand on les a tous dénoncés.

Je n'ai **aucun pouvoir pour transformer le réel**, pour
transformer le monde.
Je ne peux que vous faire redécouvrir **la présence à l'émerveillement qui est déja en vous**, et vous rendre vivant à
vous-même, pour que vous goûtiez à votre liberté, à ce
qui est.
Ce que vous êtes fondamentalement est bien au-delà des
simples expériences bonheur-malheur, vie-mort.

Construire sa personnalité, sa différence, son image (physique, intellectuelle, sociale) est une étape nécessaire dans le "grandir" à la relation au monde.

Toute notre vie est une construction de ces images-moi. C'est la mise en place de notre album personnel-moi, de notre identité, de nos repères psychoaffectifs, et de la relation aux autres, au monde.

Puis arrive un moment dans notre existence où l'on prend conscience qu'il faut aller au-delà.
Une nouvelle énergie pousse. C'est une force mystérieuse, elle oblige à se questionner, à comprendre, à aller au-delà de ces apparences.

Alors commence la quête du retour vers la source.
J'ai erré pendant trente années dans cette phase de transformations, cherchant ma voie.

Des phares ont éclairé la route.

Prendre le risque de rencontrer ces êtres d'exception, c'est prendre le risque de mourir à ses fausses identifications, à cette fausse image-moi. Dès lors, courage, impeccabilité, et persévérance vont être les moyens pour devenir des guerriers du présent.
Apprendre l'art de la guerre, le maniement des armes, est une discipline de tous les instants.

Là est sagesse, loyauté et noblesse d'âme.

Devenir des **"guerriers du présent"** est une école de la transformation.

Apprendre à se transformer, sans prétention au savoir, au pouvoir, être à l'écoute, attentifs, ouverts et patients.

L'arme de l'émerveillement *est un acte* : c'est un sabre magique, l'arme de l'absolu. Toutes les fausses images de nous-mêmes vont être décapitées, les unes après les autres, **l'acteur y compris, l'auteur du texte aussi**.

La transformation ne s'arrête jamais, elle est vivante.
Si elle s'arrête, c'est la mort.

L'éveil n'est pas une planque, ce n'est pas un état : c'est un fauteuil éjectable.

L'éveil est transformation vivante : il n'y a pas d'éveillé, il y a éveil à la relation de ce qui est, de ce qui a toujours été là.

La croyance à l'éveil est un leurre. Je ne peux pas vous parler de l'éveil, seulement des chemins de l'ignorance.

Toutes les ruses, tous les mensonges, tous les camouflages, je les ai pratiqués avant vous dans mon rôle de chercheur.

Vivons l'unité de la transformation et coupons ensemble, dans l'instant, les têtes des fantômes qui prétendent prendre la vie à notre **"présent"**.

Après "l'éveil", il a été nécessaire d'incarner ces transformations, cette relation vivante avec mes amis, ma famille, et les confins les plus subtils de la matière, en rendant le sacré accessible, le secret descriptif, malgré la limite des mots et de la raison humaine.

Toute l'intensité et la potentialité de la transformation se trouvent dans le silence. **Là sont** : énergie, sacré, poésie, secret, alchimie, amour infini.

Celui qui vient me voir arrive avec ses croyances et ses savoirs. Il rencontre le **"je ne sais pas"** vivant.
Je ne le perçois pas à travers ses propres croyances, je le vois – de sa source de lumière vivante, vibrante – non séparé.

En ce lieu vierge et immaculé, toutes les croyances sont dénoncées, toutes les croyances sont effacées.

Entrer en contact avec cette source pure, cette source lumineuse et cristalline, c'est boire l'élixir de vie.
Là, il n'y a plus de soif d'autre chose.

**La vie mystérieuse s'écoule dans le présent :
ici maintenant.**

"Pourquoi écrivez-vous ce livre ?"
Pour vous rencontrer. J'aime être relation. Je = nous !
Écrire ou parler en ce lieu sacré n'interrompt pas la beauté, la symphonie du silence. Je vous propose maintenant de vous mettre à l'écoute de votre acoustique intérieure.

Dans ce temple sacré, immaculé comme une page blanche, une respiration, un rythme, un silence et des chœurs vont s'élever de votre âme. Écoutez, goûtez, frémissez à cette symphonie d'unité.
Tous les anges sont là, pour vous aider à entrer en concert avec vous-même, vous êtes le "la" de la création.
Voici le **premier secret** pour *vous initier* à l'acte de conscience. C h u t !...

L E G A T O : l e n t e m e n t, en m o u v e m e n t, mais… sans h é s i t a t i o n, p r o g r e s s i v e m e n t.

On ne s'impose pas, on demande la délivrance !

L'acte de conscience est l'acte de la création.

L'art pur, création pure : l'art du mouvement et du non-mouvement. Force, délicatesse, violence, harmonie et beauté cohabitent en symbiose.

Bienvenue
à celui qui vient boire à la source.

Je t'attendais.

J'aime...

J'aime être à la source de toutes les paroles, de toutes les pensées.
J'aime être à la source de toutes les paraboles, de toutes les idées.

J'aime la contagion de l'eau fraîche, pure et cristalline.
J'aime l'eau qui sautille, libre, cheminant sur la colline.
J'aime l'eau qui respire le thym, la menthe et la garrigue.
J'aime boire l'eau vive.

J'aime entendre l'eau m'appeler,
J'aime entendre les questions chanter,
J'aime entendre la source danser,
J'aime entendre la lumière couler.

J'aime voir l'arc-en-ciel, dans chaque larme d'enfant
J'aime voir la neige, incrustée de pierres précieuses et de
diamants.
J'aime voir la perle de rosée scintiller sur l'herbe des
champs
J'aime voir l'eau, le feu, l'or et la lumière dans chaque être
vivant.

J'aime comme la première fois, chaque instant qui passe,
J'aime comme la première fois, mes pas ne laissent
aucune trace.
Poésie du présent, ineffable instant, je m'aime, juste en
passant.

À la source

La Source est présente ici, en elle-même,
Mais aussi, en aval d'elle-même,
Là ici, dans le creux de nos mains,
Là ici, on se désaltère, on est bien.
Présente, là ici, dans le ruisseau et la rivière,
Là ici, dans l'océan et la mer,
Là ici, dans la pluie et les nuages,
Là ici, dans la neige et la glace,
Là ici, dans la terre et le vent,
Là ici, dans l'espace et le temps,
Là ici, absorbant la mesure et les galaxies,
Là ici et maintenant.

Libre comme le vent

C'est mon ami le vent qui m'a soufflé l'endroit où se cachait la source, l'avez-vous rencontré ?

Le vent n'a pas de voix, il est silencieux,
Mais il fait chanter les arbres.
Il n'a pas de maison : il est chez lui partout,
On ne le voit pas : il est présent partout,
Il fait bouger les plus petites feuilles,
Pourtant il est si grand,
Il n'a pas de bras, mais il porte les voix,
L'homme le prend dans ses voiles,
Mais ne peut le faire prisonnier,
Il ne pèse rien, mais il porte les hommes,
Il est plus léger que l'eau mais il porte les nuages,
Lorsqu'il parcourt les champs de blé,
Ceux-ci le saluent sur son passage,
Personne ne sait qui il est :
Mais tout le monde le connaît.
Il n'a pas de famille, mais il sème la vie.
Il n'a pas de muscles, mais les arbres se plient.
Il n'est pas une fleur mais il transporte son parfum :

Il est tout et il n'est rien..

Rencontre entre une plume et une page

Par un jour de grand vent, une page s'est tournée.

La page blanche représente la partie invisible de nous-mêmes.
En écrivant notre vie, nous oublions notre origine, notre page blanche, notre partie immaculée sans laquelle aucune vie et aucune écriture ne pourraient exister.
Ici, s'écoule la source, dans ce léger ruissellement coloré que laisse la plume en ce trait d'union sacrée.

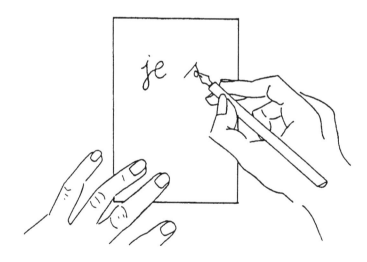

Je me présente, je suis une page blanche, immaculée et sans tache. J'accepte tous les écrits.

– *Tous*, dit la plume très étonnée ?
– Oui, tous, répond la page.

– *Même ceux qui disent du mal de toi*, s'étonne la plume ?
– Oui, d'où je suis, je ne vois pas le mal, ni toi, ni moi : je n'existe que si tu m'écris.

– *Co... comment ?*
– Oui, je n'existe que si tu entres en relation avec moi : si tu poses la pointe de ta plume sur moi ; si nous entrons en contact, si tu acceptes de te joindre à moi. Veux-tu te marier pour le pire et le meilleur ?

– *Je ne suis qu'une plume ordinaire, pas un Mont-Blanc. Tu n'existes vraiment que si j'écris ?*
– Oui, dit la plage blanche, chaque objet séparé ne sert à rien s'il n'est pas en relation...

– *Tu veux dire que le monde entier, tous les objets n'existent pas, s'il n'y a personne pour les regarder, les toucher, les goûter, les sentir, les mettre en relation ?*

Que deviennent...

Un arc-en-ciel sans le regard de l'enfant ?
Une sculpture sans la main pour la façonner ?
Un fruit sans quelqu'un pour le goûter ?
Une fleur sans quelqu'un pour la respirer ?
Une toile sans l'artiste pour la colorier ?
Un stylo sans page blanche pour y remédier ?

Sur un plan perceptif, nous dirons :

MOI	DISTANCE	LES OBJETS, LE MONDE
1	2	3

Je vois une fleur
J'entends un son
Je goûte un fruit
Je sens un parfum
Je touche un bébé.

Sur un plan intellectuel, au niveau de la pensée, nous dirons :

MOI   DISTANCE   NON MOI

1   2   3

Je cherche une réponse
Je cherche un chemin
Je cherche l'éveil.

Séparément, les objets, sans sujet, n'existent pas.

– Si j'enlève **JE**, qui peut faire l'expérience ?
Je te propose un jeu, veux-tu écrire ce qu'il n'y a pas en moi ?

– Je..., je ne vois pas ce que tu veux dire !!!

Le stylo, satisfait de lui, écrit :
Pas de page blanche.

– Tu vois bien que si tu n'étais pas là, et si je n'avais pas été là, tu n'aurais pas écrit : Pas de page blanche.

Nous sommes "sujet" tous les deux quand nous nous rencontrons, et "objet" quand nous ne nous rencontrons pas.

Moi	distance	les objets
1	2	3
Moi	séparé	de moi
Moi	non	moi

– Il faut quelqu'un pour voir le vide, et être le vide pour être rempli par le plein, dans la même micro- et macro-seconde.
Percevoir en *une pensée* **deux pensées impossibles à conceptualiser pour un intellect non-unifié.**
Exemple : création–destruction, maculé–immaculé, etc.

– *C'est un tour de magie ?*
– La magie est là dans la **transformation** où je deviens encre écrite, et où tu deviens page blanche écrite.

C'est l'alchimie de la relation.

– Qu'est ce que l'alchimie de la relation ?

– Si tu te poses sur moi, dans cette caresse de contact, de réunion, la transformation naît ; si tu ne le fais pas, si tu ne me touches pas, il ne se passe rien.
Tout est arrêté dans l'instant avant que tu me touches ; là, pas de vie.

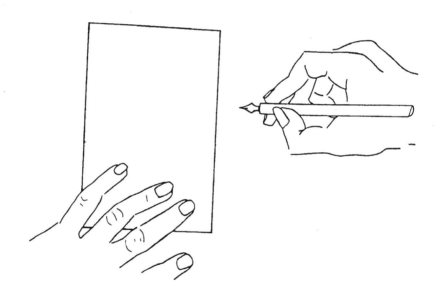

Puis... Tu viens m'embrasser... Tu me donnes ta couleur et... miracle, je deviens vivante !
Tu me donnes la vie, et sans bouger, dans cet instant privilégié, dans cette suspension de vie, dans cette rencontre, tous les impossibles deviennent possibles.

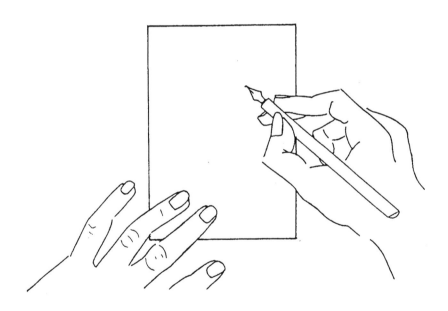

C'est comme si toutes les étoiles dans le ciel devenaient à cet instant des étoiles filantes, pour venir ici et maintenant célébrer notre rencontre dans ce point.

C'est comme si dans la première respiration d'un bébé, le monde et l'espace entier entraient en lui.

C'est comme si tout l'or du monde se réduisait en ce point.

C'est comme si tous les écrits, toutes les lignes, tous les chiffres, venaient se résorber en ce point.

C'est comme si toute l'histoire du temps et de l'espace se résorbait et naissait de ce point.

Je t'aime, ou je m'aime. Là, dans ce point, nous sommes réunis pour toujours, pour l'éternité, et aucun autre, aucun objet, aucune croyance, ne peut nous séparer.

Et dans la multiplication de nous-mêmes, point par point, nous allons vivre notre existence, libres, réunis à tout jamais dans notre rêve de séparation, dans notre histoire d'amour.

Moi, infinie conscience de moi.

Moi seul et moi tout, ici, maintenant et omniprésent.

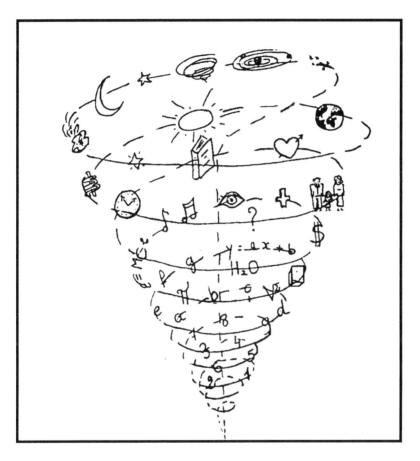

Je suis seul et je suis tout = moi non séparé de moi
Vide = plein, haut = bas, silence = symphonie,
non-savoir = je suis, jour = nuit, etc.

Écris donc s'il n'y avait pas ce miracle de la relation, écris donc ce qu'il n'y a pas,

Pas de page blanche, pas d'écriture
Pas de création, pas de destruction
Pas d'espace, pas de mouvement
Pas de vide, pas de plein
Pas de lumière, pas d'obscurité
Pas de jour, pas de nuit
Pas de liquide, pas de solide
Pas de chaud, pas de froid
Pas d'ici, pas de là
Pas de vie, pas de mort
Pas de sujet, pas d'objet
Pas de parole, pas de silence
Pas de question, pas de réponse
Pas de bonheur, pas de malheur
Pas d'intérieur, pas d'extérieur
Pas de rêve, pas d'éveil
Pas de Dieu, pas de Diable
Pas d'hommes, pas de femmes
Pas de victime, pas de serviteur
Pas de jugement, pas de culpabilité
Pas de savoir, pas d'ignorance
Pas de mémoire, pas de passé
Pas d'imagination, pas de futur
Pas de vue, pas d'œil
Pas de nez, pas d'odeur

Pas de peau, pas de toucher
Pas d'oreille, pas de son
Pas de bouche, pas de goût
Pas de cerveau, pas d'expériences
Pas de début, pas de fin

Rien, pas de contact, pas de réunion, pas d'amour.
Pas de vie !
Là, tu vois le miracle de la vie, le don de vie, l'émerveil-
lement de pouvoir faire l'expérience de tout ce qui **est**.

Quelle liberté, quel mystère ;
être présence, mystère vivant,
"je ne sais pas" vivant, sans savoir,
libre, libre, quelle légèreté.

Le secret, c'est d'être présent et vivant dans l'instant où
nous nous écrivons.

– Qu'est-ce que cela veut dire, "présent "?
– C'est quand tu ne me quittes pas.

– Je suis là, je ne suis pas absent !!!
– Tu es présent quand tu restes en contact, quand tu me
touches, quand tu me rends vivante, réunis dans notre
existence–inexistence, au-delà du temps et de l'espace, tous

les deux ne vivant que l'un, dans notre existence personnelle–impersonnelle,

rendant vivant le temps, l'espace et tous les opposés.

– *Oui ! je pressens,* dit la plume, *mais ce n'est pas encore
très clair.*

– Regarde de plus près, sois attentive. Regarde en toi en même temps que tu t'écris ; tu as écrit et pensé : "OUI ! je pressens".
Regardons de nouveau ce qui se passe (s'est passé) :
point par point, tu composes le mot O U I.

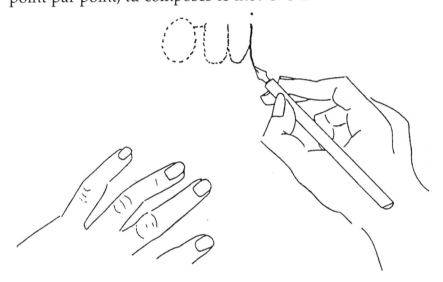

Et tu m'oublies. Il ne reste qu'un vrai oui, une affirmation de oui dans un tracé encré continu. Tu vois que tu m'as oublié.
Ce point est dynamique : ce n'est pas un point fixe !

Pas de haut, pas de bas ; ici = là.

Mouvement
Sans rien bouger
En mon axe
Je suis né

> *Naissance du point et de toutes les géométries,*
> *Je suis l'étoile polaire et toutes les galaxies.*
> *OUI, je suis devenue ce qui s'écrit et je t'ai oubliée.*

Être présent, c'est garder le contact point par point avec la partie immaculée de nous-mêmes.

Ce qui signifie :
Être page blanche en même temps qu'écriture
Être l'axe immobile en même temps que la roue qui tourne
Être création en même temps que destruction
Être vie en même temps que mort
Être ici en même temps que là
Être lumière en même temps que matière
Être question en même temps que réponse
Être homme en même temps que femme
Être lumière en même temps qu'obscurité
Être action en même temps qu'immobilité
Être acteur en même temps que spectateur
Être silence en même temps que parole
Être rêveur en même temps que rêvé
Être poids en même temps que légèreté
Être le jour en même temps que la nuit
Être le zéro en même temps que tous les chiffres.

– Oui, oui, je participe au présent.
Au participe présent de la vie !

– Tu sens l'espace entre deux points. Tu vois comme c'est simple.
Être non-né, en même temps que David.

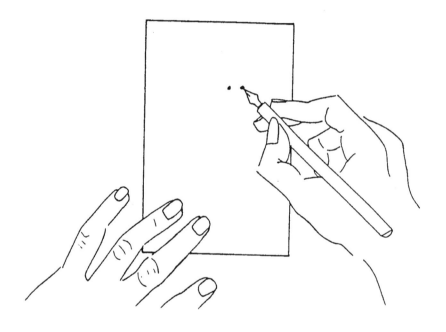

Ici maintenant, tu as rejoint l'autre rivage.
Il n'y a plus de séparation entre toi et moi.
Entre je immaculé, immatériel, immanent, et toi.

C'est le JE ; le jeu de la vie.

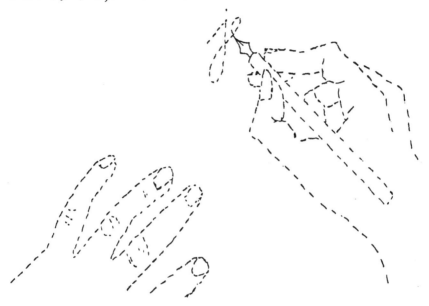

"Comme je suis heureuse d'être entre tes bras, à jamais réunie dans un amour dépassant toutes nos souffrances,

toutes nos morts, toutes les montagnes, tous les océans, tous les infinis. Ici dans la chaleur de ta caresse, OUI, je suis ici, m'écoulant dans mon essence non encrée, sans taches, ici et maintenant."

– Maintenant, tu sais écrire en effaçant.

Écrire dans l'eau sans se mouiller
Écrire dans le feu sans se brûler
Écrire dans l'espace sans rien bouger
Écrire dans la terre sans labourer
Écrire l'extase et voir l'ignorance
Écrire le doute et voir la connaissance
Écrire l'endroit et voir l'envers
Écrire la matière, et voir la lumière
Écrire Dieu, et voir les Hommes
Écrire Dieu en actionnant la gomme
Gomme des questions, gomme des savoirs
Gomme du chercheur, gomme du désespoir
Gomme de l'écrivain, gomme de l'écriture
Gomme du divin, gomme est ma nature

Go home !!!

Fin de l'histoire d'une page noire, devenue blanche.

AVANT	TRANSFORMATIONS
Lettres noires / affirmations	Lettres blanches / dévoilements

je suis né, savoirs,	je ne sais pas,
j'ai un corps,	moi-lumière,
la connaissance, dieu,	moi-signification,
le diable, les croyances,	moi-écritutre sacrée,
le pouvoir, le monde,	moi-ange,
les autres, je vais mourir,	moi-divin,
les rêves, le passé,	moi-vacuité,
l'avenir, le raisonne-	moi immaculé,
ment, la comparaison,	moi-verticalité,
je suis responsable,	moi-non distance,
guérir, sauver,	moi-non naissance,
mensonges, vérités,	pure pensée,
l'éveil, le mystère,	rien,
les états de conscience,	l'éveil,
l'inconscient, etc.	etc.

MAINTENANT

Immaculée est la page
blanche avec l'écriture

Moi-Conscience   = sagesse-ignorance
                             = unité-diversité
                             = absolu-relatif
                             = sacré-ordinaire
                             = présence-absence
                             = division-multiplication
                             etc.

MOI = conscience de MOI

Moi – non séparé – de moi   = moi – ici – temps – espace – non-Moi

$$1 \;=\; 1 \;=\; 1 \;=\; 1$$

Unité   **=**   **Unité**

"Je sais que je ne sais rien"   "Je suis, je ne sais pas"

"Je suis mystère vivant"   "Je suis doute universel"

       "Je suis celui qui est et qui n'est pas"

Au revoir facteur

Par une belle journée, j'ai donné un cadeau au facteur.
Il m'apportait des anciennes, je lui ai donné mon présent.
Il a pris le paquet et tous les concepts qui étaient dedans.

Existe-t-il un son dans la création, un acte, un désir, qui ne
soit pas, en fait, en Dieu, en tous les "moi" en même
temps, dans tous les lieux, dans chaque parcelle de vie, à
l'infini, me recréant encore et encore, dans tous les rayons
de soleil, et dans tous les corps ?

Y a-t-il une distance entre celui qui meurt et celui qui naît,
entre l'instant et les années,
entre le jour et la nuit, entre le jouir et l'ennui,
entre le oui et le non, entre Dieu et Cupidon,
entre celui qui dort, et celui qui rêve,
entre l'éveillé et son contraire,
entre la victime et le serviteur ?
Ne sont-ils pas unis dans le même cœur ?

La conclusion est sans fin,
et l'explication sans lendemain !

Un soir au pied du lit de mon petit-fils

"Papini, raconte-moi une histoire"

Il était une fois un petit Julien qui n'arrivait pas à s'endormir.
Il appela son grand-père et lui dit : *"j'ai peur de la **nuit**, il fait tout **noir**".*
Alors le grand-père fit un tour de magie, il inventa une étoile en or, et dit au petit garçon : "Veux-tu manger cette étoile avec tes yeux ?"

Le petit garçon cligna des paupières, et, merveille des merveilles, l'étoile entra en lui.

"Oh !! quelle belle lumière, grand-père ; chaque fois que je ferme les yeux, elle est là.
Grand-Père, j'aimerais que tous les enfants n'aient plus peur la nuit."
Alors le vieil homme prit l'étoile entre ses mains, souffla, souffla si fort qu'elle devint une étoile filante, chaque étincelle créant une étoile et ainsi de suite. Quel fabuleux feu d'artifice !!!

*"S'il te plaît, Grand-père, quelquefois j'ai peur le **jour**."*

"Es-tu capable de garder un secret, entre toi et moi ?"

*** Pas besoin d'aller si haut : l'étoile est ICI. ***

"Oui ! oui !" répondit le petit garçon émerveillé.

"Écoute, on va jouer à un jeu de cache-cache. Dans chaque objet terrestre, je vais dissimuler une étoile et à chaque fois que tu voudras jouer avec elle, il te suffira de regarder... regarder. Alors l'objet va briller et l'étoile va apparaître, tu le veux bien ?"

"Oui, oui !"

Alors il souffla, souffla, et le jour devint brillant, brillant !
Alors, heureux de ce spectacle, le petit Julien s'endormit.
Comme le grand-père était un peu étourdi, il laissa briller les étoiles le jour comme les nuits.
Si tu vois une étoile filante, c'est sûrement pour célébrer une nouvelle naissance.

C'est pourquoi j'ai appelé ta maman "Estelle".

C'est une étoile vivante où l'or est.

Jeux de mots et autres brèves de comptoir

L'éveil est un acte, un tour de mains, un pied de nez.

Vivre dans l'insécurité, c'est vivre dans la sécurité de l'un.

Glorieusement seul en moi comme le sel dans la mer.

Silence sur le seuil de l'Être,
Être sur le seuil du silence, silence...
Silence... les anges chantent. Je suis, je suis, je suis.

Que le son m'emporte. Je m'entends.

Quand l'ego n'est plus divisé, il devient l'égal.

À son réveil, l'homme voit qu'il a rêvé.
Où est sa souffrance ? : il a rêvé.

À son éveil, l'homme voit qu'il a rêvé.
Où est sa souffrance ? : il a rêvé.

Vois la lumière de la vérité : où est ta désespérance ?

Libre, il est le vent. Libre, il est l'espace. Libre, il est le temps. Volons.

Le silence est ma musique ;
de mystérieux accords chantent la symphonie divine.
C'est une berceuse qui réveille
l'homme endormi !

Devenir un point de contact, c'est devenir un pixel.

Quand l'obscurité est présente, on ne voit pas d'ombre :
les ténèbres se prennent pour la lumière.
Quand le soleil est présent, on voit les ombres :
elles se prennent pour la lumière.
Quand le soleil et la lune sont présents :
on voit les ombres, elles sont la lumière.

Un homme oublie son code d'accès :
Il oublie son "je ne sais pas".
Un homme oublie son code génétique :
Il oublie son "je ne suis pas".

Voir : c'est déjà savoir. Penser : c'est déjà savoir.

Le voleur est celui qui dénonce !
Penser c'est déjà comprendre ; pourquoi vouloir prendre ?
Vous êtes perfection, avant de croire à l'imperfection.
Présence est déjà perception.
Présence est avant les facultés sensorielles.
Je n'impose rien, surtout pas les mains.
La légèreté n'a pas de poids, plume volant au vent.

Une personne qui n'aime pas "son mental"

Le mental est une intention à relier, à réunir.

Relier l'absolu et le relatif, nous relier à notre vraie nature.
Vive l'ego, le mental.

Ayant oublié le code d'accès à sa nature et à sa fonction, le mental relie les images mentales comme dans un album de photos.

Il a oublié son origine, sa page blanche, l'album blanc, où sont collées les photos.

L'ego, le mental, sont l'**espace** où **voyagent librement** les images mentales-moi.

Une fois le mental relié à lui-même, il permet la magie de la vie.

Il permet de percevoir, de rêver et de penser.

Il projette et rend perceptibles le monde, le temps, l'espace, les autres, etc.

Tout n'est que conscience, ondulation de conscience.

Les images-moi, notre identité, sont assemblées dans un passé simple et un passé composé compliqué.

Passé simple :

Somme de mémoires nécessaires à l'évolution de la vie, la survie : pour regarder, parler, manger, marcher, réfléchir, rêver, dormir, etc.
C'est là la somme de nos réflexes physiques, émotionnels et intellectuels.

Passé composé compliqué :

Les manques d'affection, de relation, d'amour dans le grandir, déterminés par un environnement géographique, social, alimentaire, vestimentaire et religieux.
Dans cette situation plus ou moins favorable, colères, humiliations, révoltes, vont s'ancrer, s'attacher, devenir notre identité : des images-moi.

Un enfant naît

Voyons un bébé : de 0 à 3 ans.

Très peu de personnes ont le souvenir de cette période de leur vie : "Je n'ai pas le souvenir de moi".

Le bébé est en procédure automatique. Tout est pris en charge.

Encore aujourd'hui, on peut constater que nous n'avons aucune emprise sur notre respiration, sur le fait de voir, d'entendre, de penser et de faire pousser nos cheveux, nos ongles, nos os, etc. **Tout est automatique.**

Heureusement que ce n'est pas nous qui régissons toutes ces procédures, quel chaos cela serait !!!

Le bébé doit apprendre à se transformer, à évoluer dans un milieu hostile. C'est une règle d'évolution universelle.

Le bébé vivait dans un milieu aquatique.
Il va devoir respirer l'air et ne plus être nourri par le cordon ombilical. Quelle faculté d'adaptation !
Son cerveau est neuf, vierge et sans tache.
(Plus tard nous irons plus loin.)
Le cerveau va accepter, codifier ce que les autres vont **dire, faire et être.**

Bien, **je suis existence pure, je suis cet or primordial** et je découvre mes proches, les objets et le monde (**l'extérieur**). Le monde **va entrer**, sous forme **codée** dans mon cerveau. **Quand je vais me référer au monde, à l'extérieur,** c'est **bien à l'intérieur de mon cerveau que je me vois** : où est la frontière "ext-int" ?

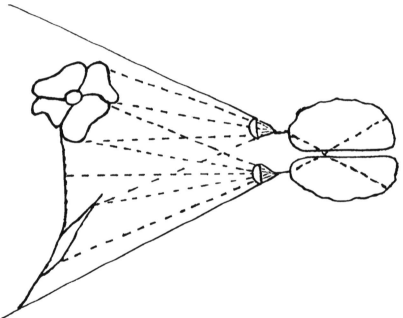

Suis-je fleur, photons, yeux, nerf optique, transmissions électro-chimiques, neurones, matière... ? Ou le tout à la fois... ?

C'est le cerveau qui gère tout ça. Je suis celui qui est voyant au-delà des sens.

Revenons au bébé : il va exister en tant que "je suis pur", et en fonction de ce que les autres vont dire de lui, lui apprendre qui il est : "Tu es une fille, un garçon, tu es beau, gentil", ou le contraire.

Des stratégies de survie vont se mettre en place, punitions, récompenses (sourire, caresses, gazouillements, etc.).
Le bébé va se lire et s'identifier, se codifier : "**c'est moi, ça ?**"

Je suis, est totalité, ouverture, page blanche, pas de dehors, pas de dedans. *"C'est moi indifférencié".*

Pipi, caca : ils veulent quoi ? se dit le bébé. "**Sale ! C'est pas bien ! Il ne faut pas ! Bravo ! c'est bien.**" Qu'est-ce que cela veut dire ?

Plusieurs mois vont être nécessaires à intègrer, à comprendre ce "qu'ils veulent !" Le jeu de la vie à l'identification commence. C'est nécessaire au grandir, pour se transformer en une identité individuelle, en une carte d'identité-moi, et c'est très bien.

Le bébé va s'identifier, en apprenant "sa reliance" au monde, aux autres, au temps, à l'espace, aux objets et découvrir le jugement, le passé, l'avenir et les stratégies.

S'il n'est pas aimé normalement, les images-moi seront des images de dévalorisation, d'échec, de peur, d'infériorité, d'isolement.

En fonction des circonstances favorables ou défavorables, le petit enfant va donc mettre en place des stratégies d'autodéfense, d'autograndir.

L'autre va devenir de plus en plus l'autre, les objets devenir des objets, séparés de lui.

moi	rupture	non-moi.
1	2	3

Le "**Je suis**" vivant, vibrant, lumineux, va devenir un "Je suis Julien", m'identifiant images après images, collant mon album de photos-impressions qui vont référencer ma vie.

Je vais perdre mon statut de page blanche, d'être.

Avant de retrouver l'éveil à l'innocence, il faudra décoller ces photos, décoder ces jugements, ces culpabilités, ces croyances.

Vous êtes vivant au-delà de ces formes corporelles, émotionnelles, intellectuelles, entre 0 et 3 ans.

Puisqu'il y a cerveau, il y a mémoire, donc hérédité.
Le cerveau n'est pas neuf.

Avant la rencontre d'un spermatozoïde et d'un ovule.
Vous étiez vos parents. Vous étiez vivant avant vos parents, vos arrière-grands-parents, etc.
Vous étiez présent et vous êtes toujours le même ici, maintenant, au-delà des transformations de l'évolution.

Nous sommes vivant bien avant d'être identifié à un cerveau.
La mémoire, le souvenir de l'éveil se trouve inscrit dans toute l'évolution de l'infiniment petit à l'infiniment grand, contenant le passé et l'avenir, ici, maintenant, dans le présent.

Vous êtes vivant avant la période de 0 et 3 ans, vous êtes vivant avant d'être né.

Vivant, comme la nuit pendant notre sommeil.
Accéder à cette présence **au sein du sommeil profond,** c'est accéder au **je ne sais pas, consciemment,** et ramener **cette présence le jour.**
Devenant présence au sein du mystère, et acceptant ce mystère, je garde cette présence dans la journée, vivant en même temps **"je suis et je ne suis pas".**

Voyez, soyez étonnement d'être, émerveillement vivant. .
Vous n'avez jamais été abandonné, vous étiez avant la peur.
La peur, ce n'est pas vous, vous n'êtes ni mort ni né.
(Moi non plus. Rires...).

Vous existiez, vous étiez vivant avant 0 à 3 ans.

Il n'y a pas d'acteur, de responsable ou de coupable.
Il y a Action.

Comme une caresse de plume, l'oiseau sur le vent
Comme une caresse de lune, le rayon sur l'océan
Comme une caresse de neige sur la joue d'un enfant
Comme une caresse d'ange dans le sourire de sa maman
Comme une caresse, un ballon monte silencieusement
Comme une caresse légère, "la vérité" s'envole maintenant
Comme une pensée légère, je suis le néant.

Rêve de nuit, libre des rêves

Une bataille silencieuse, onirique, se déroule toutes les nuits. C'est un acte d'amour infini. C'est le grand-œuvre du divin.

Voyons ce qui se passe quand on va dormir, nous allons répertorier 9 étapes.

1 – Transition de la veille au sommeil
2 – Rêves disparates
3 – Transition
4 – Rêves réparateurs
5 – Transition
6 – L'arche de Noé
7 – Transition
8 – Songes
9 – Transition du sommeil à la veille

1 – Transition de la veille au sommeil
Comme on ferme les volets d'une maison, les organes de la relation au monde extérieur se ferment.
Les défenses à l'autre, au monde, s'estompent.
Les stratégies intellectuelles, morales, sociales, religieuses, de réponse à l'autre se mettent **en sommeil**.

Cette première description des phases de transition est valable pour toutes les phases d'accès au "je ne sais pas".

Là, une acuité, une qualité de reliance va progressivement se raffiner. Dans ce temple intérieur, en pleine nuit, il fera jour, et les étoiles vont écrire de leur encre dorée la prière universelle. Là, je rends grâce à la vie, un frisson d'énergie me parcourt. Comme il est doux de sentir la caresse du Père, uni en sa lumineuse Présence.

C'est dans cette reliance de la phase de transition que la liberté, la légèreté et l'éveil seront reconnus.
Là, le mystère se révèle à lui-même. C'est un "je ne sais pas" vivant, se dévoilant à lui-même.
Là, cognition et dévoilement vont devenir descriptifs.
La lumière de la conscience va devenir conscience d'elle-même à travers son langage de lumière.
Des paroles cachées seront vues, entendues, pulsées au cœur de la page blanche.
Là, vit la matrice du langage "uni-versel".
Là, pas de tour de Babel. S'entretenir à la source de l'émerveillement, c'est parler au cœur de l'immaculé.
Là est fécondation mutuelle, alliance, unité de la vie.

2 – Rêves disparates
Plusieurs magnétoscopes se mettent en marche et projettent sur un écran des impressions, des films surréalistes. **Remarquons que c'est automatique, et voyons le mécanisme sous-jacent à la prise de conscience, jusqu'au RÉVEIL.**

(Reconnaître que le rêve est un rêve n'est pas aussi aisé qu'il apparaît à première vue.)

Gardons l'hypothèse du rêve, et voyons ce qui s'y passe.

a) **VOUS ÊTES SEUL, sur un lit, immobile.**

b) En un claquement de doigts, vous créez, inventez une histoire, une relation. **Avec QUI ?**
Rappelez-vous, vous êtes seul dans votre tête, vous n'êtes pas dans la tête de votre voisin !

c) **Remarquons** : il n'y a pas d'œil et l'on voit,
pas d'odeur et l'on respire les parfums,
pas d'écrivain, mais un scénario,
pas de distance, mais l'espace,
pas de décor, mais tous les paysages,
pas d'animaux, mais tout le zoo est là,
pas de présence, mais un vrai rêve,
pas de paroles, mais tous les dialogues.

Tout se passe en automatique. Je suis rêvé.

Je suis seul et je me parle à travers d'autres moyens de communication, à travers un autre langage, une autre symbolique. Pourquoi ?

Mes défenses habituelles, mes stratégies mentales sont inopérantes, mes organes de relation du jour sont fermés. Mon corps dort, et je ne sens rien. Je ne sais rien.

Puisque je suis seul dans ma tête, dans ma salle de projection privée, avec qui est-ce que je dialogue, si ce n'est avec moi ?

Moi QUI ?
Ne serait-ce pas ce moi qui se multiplie à l'infini, et qui se divise en tous les autres : les décors, les personnages, les animaux, les lieux, les couleurs, les parfums, les sensations, etc. ?

QUI SUIS-JE ?
Un ou multiple ou les deux à la fois ? Suis-je davantage l'écran blanc de ma salle de projection privée, ou la lumière utilisée, ou les images projetées d'impressions-moi et les autres ?

Voyez cela.
C'est comme une goutte d'eau indifférenciée qui retombe dans la mer. Elle est la mer.
Vous vous parlez à vous-même pour vous retrouver.

3 – Transition (commentaire général)

4 – Rêves réparateurs
Le sommeil est comme une assistance technique automatique.

C'est un contrat de maintenance divin.

L'un s'occupant de l'un à travers notre supposée division. Des spécialistes nous apprennent que le sommeil régénère et construit le système neurovégétatif.

Il efface les fatigues, réhabilite les fonctions, rétablit l'énergie, et sécrète l'hormone de croissance chez l'enfant, etc.

Qui fait cela ?
Tout est automatique, comme nos fonctions, pendant la journée. Nous sommes vécus.
Voyez cela.
Tout se fait indépendamment de notre savoir, de notre intervention personnelle.

Vous êtes, en même temps, l'écran blanc, la lumière, et les images mentales.

Moi	non-distant	de Moi
1	1	1

Soyez le miracle de l'un s'occupant de l'Un.

Vous êtes virginité effaçant les taches,
Vous êtes présence pure, conscience pure.
C'est une tâche de tous les instants, où frustrations, colères, chimères, idéaux, fantasmes, sirènes... vont être résorbés dans l'Un.

5 –Transition (commentaire général)

6 – L'arche de Noé
Pour la survie de l'espèce, Noé a préservé tous les animaux, voguant dans le déluge vers la Terre promise.

C'est stupéfiant de voir combien j'en ai rencontré à travers les rêves ! **Une vraie arche !!!** Personne n'a manqué.

Ces représentations oniriques **de mes relations évitées dans la journée,** je les ai identifiées, reconnues, pas à pas, rêve après rêve.
Chaque rencontre était une occasion de me relier davantage à moi-même, pas dans la fuite, **mais dans l'alchimie de la relation non-évitée.**
Ces monstres, ces animaux sont de merveilleux gardiens du temple, "les **arch**ives de l'être".
Pas de rêves, pas d'éveil !

En Asie, "Bouddha" veut dire le dompteur d'éléphants !

7 –Transition (commentaire général)

8 – Voyons LES SONGES

Des créateurs ont composé des symphonies.
Des scientifiques ont trouvé des solutions mathématiques.
Des chercheurs ont trouvé l'éveil !
Je rends grâce à la vie, à la lumière, de m'avoir éclairé tout au long de ces ténèbres, jusqu'à la reconnaissance de l'éveil.

9 – Transition des songes au réveil (commentaire général)

Le rêve est une pure pensée, rien.

Moi-Jour   différent   de Moi-Rêve

1   2   3

Les rêves sont réels tant qu'ils durent, tant qu'il existe une distance entre moi et non-moi.

Quelle histoire d'amour ! Songer qu'il existe le jour.
Rêve de jour, rêve de songe, rêve d'éveil, rêve de monde.
À la lumière de l'éveil, ce qui était réel la nuit, devient un rêve, un tour de magie d'illusionniste.
L'inconscient est devenu le Un-conscient.

Moi		non-distant	de moi rêves
Moi-Rêves		non-distant	de moi au-delà des rêves
Moi-Jour	=	Moi-Rêves =	Moi nuit
1	=	1 =	1

Mystère = 0 = immaculé = non né = présence éternelle =
Moi = 1 = 2 = 3 = 4 = 5 = 6 = 7
etc.

Résumons.

Dans mes rencontres, des personnes me disent qu'elles prient pour ne pas rêver ! Certaines superstitions et infantilismes spirituels persistent dans la relation des rêves, avec l'éveil. Ne culpabilisez pas de rêver. Le rêve est un cadeau, une porte ouverte à la mémoire du monde, à nos origines, c'est un lieu de rencontre, un moyen de lecture, une remise en ordre, un moyen d'accéder à notre intériorité.

Dormir, c'est gratuit, le temps n'existe pas. Nous ne sommes pas identifiés à nos souffrances.

"David, qu'est-ce que c'est bien la nuit, on ne pense pas ! Mais quel malheur de ne pas dormir et d'entendre l'horloge sonner les heures !"

Pour l'éveillé, il n'y a que dormir.
Combien endurent des nuits intermittentes, et des réveils non réparateurs.

Avez-vous déjà remarqué votre mauvaise humeur en début de matinée ! Soyez attentifs et vous verrez que cela vient d'un rêve non agréable.

Dialoguer à travers ses rêves est une voie utile, pour devenir progressivement présent dans "l'inconscient".

Découvrir et devenir capable de parler de ses rêves, d'exprimer ces mécanismes de défense, est une grande avancée.

Devenir lucide, présent, dans notre cauchemar, fait reculer nos peurs.

Nous interagissons alors, dans notre monde onirique, virtuel, comme dans un jeu vidéo et cela devient de plus en plus amusant, inoffensif.

N'ayant plus peur, on continue de jouer, de rêver, d'entretenir la relation.

Peu à peu, on parvient alors à surmonter ses peurs, ses phobies et ses angoisses.

L'impression d'unité s'infuse et reste pendant la journée.

En portant davantage attention à ces mécanismes, on se réveille avec une confiance accrue en soi-même.

Une nouvelle connaissance, une nouvelle relation avec soi-même s'établit, le rêve devient un territoire d'exploration merveilleux.

Comprenez bien que cela n'exclut pas le travail de la relation consciente à la présence, pendant la journée.

Le mécanisme que nous avons décrit pendant les rêves est une technique universelle.

Tout est prétexte à la rencontre, à l'omniprésence.

Nous sommes rêvés.

C'est A-U-T-O-M-A-T-I-Q-U-E !

Où est votre identité identifiée de la journée ?!
Avez-vous la possibilité de changer ou d'être responsable
de quoi que ce soit ?!

C'est A-U-T-O-M-A-T-I-Q-U-E !

Nous sommes le rêve de Dieu *la nuit*
et le rêve de Dieu *le jour*.
C'est A-U-T-O-M-A-T-I-Q-U-E !
Vous êtes vécus !
Voyants du présent au-delà du passé et de l'avenir !

Tout ce que ce livre exprime n'est rien.
L'essentiel est toujours non exprimé !

La vérité et le chercheur, ou la flèche et la cible

Un jour, Monsieur Question
Rencontra un bon ami, Monsieur Dubidon.
Ensemble, ils décidèrent d'aller enquêter
Sur les chemins de l'éternité.

Et d'où qu'c'est qu'on vient ?
Et où qu'c'est qu'on va ?
Et cette route qui n'en finit pas.

Et vous, que faites-vous dans la vie, Monsieur Dubidon ?
Je joue du bidon et je raisonne
En colportant tous les ragots
Et les échos qui résonnent.

Et vous, que faites-vous dans la vie, Monsieur Question ?
Je joue aux enquêtes, et je questionne
J'attends des réponses, et je m'étonne.

Quand, enfin, au détour d'un nuage,
Ils virent le but de leur voyage.
RÉPONSEVILLE était là !
Dans le tumulte et le brouhaha.
Enfin, ils allaient pouvoir quémander
À tous les Saints, les pékins, et même les Illuminés.
Pendant trois jours et trois nuits,

Ils demandèrent, demandèrent, mais rien ne leur suffit.
Incompris, fatigués, n'en pouvant plus,
Ils s'effondrèrent sur le sol, et se turent.

Titillé par une odeur nauséabonde,
Monsieur Question se réveilla plus vite que son ombre ;
Pris par le froid de la nuit,
Il s'était revêtu des vêtements de son ami !!!
Qui, lui, avait profité de ce cauchemar,
Pour mourir et s'évanouir, sans le savoir !

Sur son lit, seul, assis, et interloqué,
Monsieur Question venait de rêver.

C'était un rêve !!! Il était illusionniste !
Il avait inventé un compagnon, un autre bis.
Oubliant qu'il avait créé ce tour de magie,
Il était parti loin, faire le voyage d'ici à ici.

Maintenant, seul, vivant la lumière du présent,
Monsieur Question est omniprésent.

Glorieusement seul, question vivante !

Sous l'œil des culpabilités, le regard des autres.

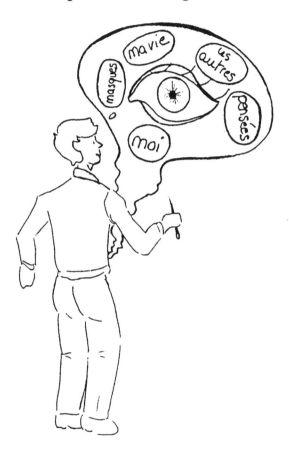

RÊVE DE JOUR

Nous avons vu le rêve de nuit. Voyons le rêve de jour !

À votre réveil, ne vous est-il jamais arrivé de vous demander : "Où suis-je, qui suis-je ?"

Puis petit à petit, la mémoire revient, et l'on retrouve son identité, ses attributs, ses qualificatifs : je suis Monsieur ou Madame... Je m'identifie de nouveau à mes joies et à mes peines. J'ai oublié mon "je ne suis pas" de la nuit, pourtant si indispensable et reposant.

Gardez votre mémoire d'avant votre histoire du jour !

De même que la nuit, en un claquement de doigts, j'invente un monde onirique, de la même façon, j'invente le jour en un claquement de doigts. Une projection de journée commence.

C'est comme appuyer sur "l'inter-ouvreur" de la télévision. Tout apparaît en même temps, décor, personnages, son, histoire, film d'histoire, film de relations idéales qui font rêver ou film de relations évitées qui font pleurer.

La relation aux autres, c'est vous. Vous, déguisé en "les autres".

Nous, dormant en ce rêve de jour, et nous pensant séparés, opposés, amis ou ennemis, hommes ou femmes, etc.

Oubliant cela, une merveilleuse histoire, un merveilleux voyage de vie va naître, à travers l'autre.
C'est la sainte alliance et la miséricorde de la résurrection des vivants. **C'est la relation non évitée**.
C'est une telle source d'amour, une preuve de liberté infinie.

Voyons la relation évitée.
Ne pas reconnaître le miracle de la vie, c'est vous absenter en un ailleurs et un idéal. Ce qui est, EST.

Parlez vrai, cauchemardez vrai, envoyez des messages clairs.

La délicatesse du cœur est au cœur de cette violence apparente.
Reconnaissez ces stratégies de défense qui vous ont permis d'évoluer. Le big bang est en vous, la loi de survie de la jungle est en vous ; déguisements, mensonges, intelligence, adaptation, créativité, coups bas, esclavage, racisme, amour, courage, don de soi, don de vie, sont en vous.

La nature est impitoyable, les carnages, les camouflages, les trucages sont autorisés.
Vous avez le droit de ne pas aimer, le droit de ne pas aimer être dévoré ! Vous avez le droit de manger, pour ne pas être mangé.

Acceptez d'être surpris, inattendu, égoïste, amoureux.
Vous êtes le résultat vivant de cette chaîne alimentaire.

L'éthique, le droit, la morale, l'économie, l'écologie, la sociologie, ne sont pas les priorités de la nature.
La nature innove, invente sans limites, pour transmettre la vie, au-delà des apparences.
Cela est vivant en vous, inscrit dans vos gènes, dans votre comportement humain et social.

Indépendamment du déterminisme économique, politique, et religieux, la vie trouve toujours un passage pour le hasard de la "sur-vie".
Ne pas voir la relation à notre histoire immémoriale crée un nouveau mur de lamentations.
Parler avec un mur n'a jamais facilité la relation ; même si l'on dit que les murs ont des oreilles, cela reste un dialogue de sourds, un "pré-texte" à la fracture religieuse.

Avant le texte est la page blanche.

Transformer cela est une clef pour accéder à votre présent.

La perfection sans imperfection est un mythe, une légende.

Quelle prétention de vouloir devenir perfection.
Qui veut prendre la place du Créateur ?
Perfection est Mystère inaccessible ! Chacun à sa place.
Créateur, créature.

Exprimer, comprendre nos mécanismes de relation, de défense, est une grande avancée, mais ce n'est pas suffisant pour devenir lucide au présent. Cela doit s'accompagner d'un "**luicide**" (Stephen Jourdain). C'est un acte de conscience qui transcende tous les niveaux de la vie, et qui glorifie l'apparence (suicide et lucide = luicide).

Ce geste tue la pensée d'évolution, la pensée du temps d'acquisition et la pensée d'espace de non-relation.

D'apprentissage en "apprend-tissage", on organise notre trame de la relation. Souvenez-vous du chapitre de bébé. Il sourit.
Il reconnaît par ce **geste** émotionnel et mécanique qu'il peut agir sur le visage de sa maman. Il découvre les premières stratégies de la relation.
Il cherche son identité dans le visage de sa mère.

Pour comprendre comment ces mécanismes ancestraux s'enregistrent dans notre cerveau, dans notre savoir, il faut voir comment cela fonctionne. Des spécialistes nous disent que le cerveau **saisit** l'information, **l'enregistre**, et **la fixe**.

De nouvelles données en nouvelles données, l'acquis se met en place, sans être remis en question.

C'est comme cela que notre album personnel, nos images-moi se constituent.

Le paradoxe c'est que, pour s'éveiller, **il sera nécessaire de retourner la flèche de ces acquisitions dans un présent-omniprésent** au cœur de la coïncidence, et de la fulgurance de l'éveil.

En un éclair, la grâce embrase, illumine et réunit la première étincelle de vie et tout ce qui est. C'est l'arche de l'alliance.

Dans le processus de grandir, les autres sont notre référence.

Nos proches vont nous aider à découvrir, et à redécouvrir, les fausses images-moi que l'on porte, ainsi que nos stratégies de défenses cachées.

On **agit** par rapport à la somme de nos expériences archaïques, on **réagit** spontanément avec ses acquis.

Ne le reconnaissant pas, on ne s'aime pas comme on est.

Le jugement que l'on porte sur nous est alors incomplet.

On cache ses réactions, ses émotions.
La mauvaise conscience, la culpabilité de se dissimuler,
nous fait porter des **masques de non-réaction**.
C'est un comportement de dissimulation, de camouflage,
qui remonte à la nuit des temps.

Mystère insondable de la nuit,
Chant des grillons cherchant la vie,
Chaude et douce brise, ma compagnie,
J'aime à me plonger dans les profondeurs de la nuit.

Les catacombes de Rome sont aussi ma scène,
De transformations en transfiguration, je sème.
La minute, l'éternité, et le présent
Sont le théâtre de la vacuité, où je joue à l'autre,
                                        au vivant.

Je joue à la vie, je joue à la mort, j'aime encore et en-corps,
Poursuivant mon voyage d'ici, je plonge encore
                                        dans la nuit.

Émerveillé, en apnée, fluide et sans bruit,
Je glisse tel un dauphin en l'océan des galaxies.
Océan cosmique, luciole d'étoiles, chœurs d'infini
Immergé dans le berceau céleste, Je SUIS.

Le dialogue avec ses proches est le sacrement de la relation, de la réconciliation avec soi. C'est aussi un geste de
conscience, un geste d'alliance sacré.

Tout ce que ce livre exprime n'est rien.
L'essentiel est toujours non exprimé !

La relation corporelle

QUI est le plus près de vous, votre corps ? Le corps est le pied-à-terre du ciel.

Avant, je n'étais que lui, identifié à mon âge, à mes savoirs, à mes imperfections corporelles, je ne me trouvais pas beau, trop gros, trop mince, etc.
La découverte d'être Esprit pur, paradoxalement, m'a fait découvrir en même temps la merveille d'avoir un corps. J'en ai été bouleversé, et j'en ai pleuré de joie.
Je vivais au cœur de ma merveille, et je ne le savais pas.

Comme on prend un enfant dans les bras, de la même façon, je me suis pris "dans mes bras". C'était chez moi, ça sentait bon et ça respirait la vie. Dire que tous les jours, je passais à côté de moi sans me saluer. Le corps est un véhicule magique, il permet la relation au monde. Pour l'entretenir, une douce et tendre relation corporelle-spirituelle est nécessaire.

La plupart des personnes que je rencontre sont dans une telle absence corporelle qu'il est nécessaire qu'elles s'incarnent, qu'elles prennent ancrage en ce qu'il y a de plus immédiat, de plus précieux, la mémoire architecturale de l'univers, leur corps. Des astuces, des petites choses toutes simples, permettent de se centrer.

Rencontre avec des sages, sans images

Lors d'un voyage en Inde, l'occasion m'a été donnée de rencontrer un ermite qui vivait dans une grotte minuscule le long du Gange, à Rishikesh.

Il m'invita à y pénétrer. L'impression de merveilleux, de rêve et de déjà vu était très forte. L'instant était magique. J'étais en pays connu ; les présentations d'usage étaient inutiles.

Pendant plusieurs jours ce fut une cascade d'initiations.
Je n'en croyais pas mes yeux ni mes oreilles.
Par le passé, j'avais assisté à des grandes "messes-mantra".
Là, dans le privilège de la relation personnelle, dans l'intimité et le secret de la relation du "sur mesure", j'étais attendu, reconnu et aimé.

Par cette rencontre, une nouvelle qualité de relation et de paix avec moi-même s'est installée.

Dans mon parcours de non-éveillé, cela m'a beaucoup aidé.
J'aimerais vous faire partager ces instants "pré-cieux", tout, tout près des cieux.

Mais il n'est pas nécessaire d'aller en "un-de" (Inde) pour retrouver l'unité !

En Europe, des êtres d'exception enseignent l'éternel présent.

Une reconnaissance infinie s'écoule vers ces éveillés, que j'ai eu le privilège de rencontrer.

Le premier était MAHARISHI MAHESH YOGI.
Je lui ai posé une seule question, elle m'a bousculé longtemps.
Le deuxième était Monsieur DOUGLAS HARDING.
À chaque rencontre, le décapage était tranchant, jusqu'à en perdre la tête !
La troisième était MA AMRITA (AMMA). Cela a été le choc du cœur.
Ensuite, j'ai rencontré, alternativement :
Monsieur YVAN AMAR,
Monsieur JEAN KLEIN
Monsieur STEPHEN JOURDAIN

J'ai passé des heures à les questionner, à vivre dans leur présence. Ils sont contagion, compassion, exigence.

Quelle bénédiction, quelle histoire d'amour !
La caresse et le bâton, tour à tour.
MERCI À CES PHARES ÉTERNELS.
Ils ont la connaissance, l'art du geste.
S'approcher de ces sources, c'est boire l'eau qui étanche la soif.

Une si petite aiguille

Comptine d'une aiguille avec une si petite pointe en or.

Une si petite aiguille a crevé tant d'illusions,
Une si petite aiguille, et pouf, du monde et de sa
contrefaçon,
Une si petite aiguille, et boum, du temps et des
saisons,
Une si petite aiguille, et bing, et bang, de la logique
et de la raison,
Une si petite aiguille, et badaboum, de l'auteur des
actions,
Une si petite aiguille, et psschitt, des grandes
questions,
Une si petite aiguille, chut... C'est un secret, son
utilisation,
Une si petite aiguille, et il n'y a plus rien
de ma chanson.

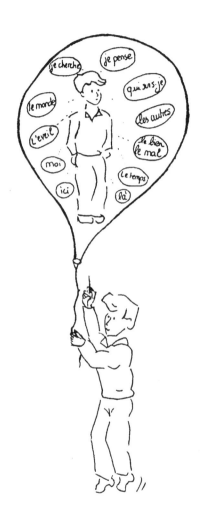

ENTRETIEN AVEC UN ALCHIMISTE

Oui, c'est une belle histoire, c'est une poésie sacrée et secrète. J'aime ce langage. J'aime l'utiliser, mais je dois vous rappeler à vous, à votre présent.

Qu'est-ce qu'une histoire ? C'est une pensée d'histoire.

Il est important de voir la différence entre la pensée et le présent perceptif.

Quand je vois, je vois ; quand je pense, je pense.

Vous m'avez parlé de l'histoire de l'alchimie, alors, s'il vous plaît, présentez-la moi ! Vous voyez qu'elle n'est pas là !

Vous voyez la différence entre une pensée et une perception.

La perception, vous êtes là. La pensée, elle, s'impose là : elle occulte le perceptif.

Votre vraie question est :
vous réclamez à être présent, à devenir un alchimiste vivant.

Vous voyez comme cette histoire d'alchimie est dans votre imaginaire, dans votre abstraction, et vous voulez que je dialogue avec vos fantômes.

Je dialogue avec vous, oui, avec vos fantômes, non.

Voyez l'énergie que vous utilisez à vous entretenir avec un ennemi fictif.

Voyez cela. Votre liberté est d'être alchimie vivante.

Pas une pensée de légèreté qui a du plomb dans l'aile.

Vous êtes transformation au-delà des apparences.

Voyez votre OR primordial, ici, maintenant.

Un ami qui n'avait pas soif.

– *David, qu'est-ce qu'on raconte, tu te prends pour Dieu ?*

– Je suis invité à Sa table, *seulement invité.*
Je suis un homme ordinaire, un passant.

Voler la place du maître de maison : c'est perdre
l'émerveillement, l'étonnement d'être, c'est perdre sa
place à la table divine : c'est le paradis perdu.

– *David, j'ai l'impression que tu as disjoncté, redescends
sur terre.*

– Oui, la disjonction avec l'illusion s'est accomplie, il n'y
a plus de résistance à être vécu, à être le rêve de Dieu.

– *Tu te rends compte de ce que tu dis ? Tu parles, et je ne
comprends rien. On dirait que tu joues avec le mystère.*

– Tu préfères comprendre ! Pour quoi ?
C'est si insupportable de ne pas comprendre ???

Comprendre, c'est prendre.
Nous sommes tous déjà là, invités à la table de Dieu.
Et toi, tu veux re-prendre *ta* place ?

Tu y es déjà assis ! Vois cela.

B. G. veut partir, et se lève !

– Ose rester, bondis plutôt sur l'occasion de voir qu'il n'y a rien à comprendre. Sois le "bien-venu", depuis toujours, ici, ta place est chaude : tu n'es jamais parti. Au fait, as-tu soif ???

– *Non, d'ailleurs je dois partir, j'ai piscine !*

ENTRETIEN AVEC UN SCIENTIFIQUE

La poésie qu'il y a en vos calculs mathématiques est *l'expression de la division...* C'est une très grande beauté.
Vous me dites qu'au niveau des particules élémentaires, la vie danse. C'est une explosion de couleurs. J'aime cette note artistique parce que j'aime la "transcen-danse".

Un homme, réuni à son mystère, est à sa place. Il n'essaie pas de prendre la place de Dieu. Cet homme, réuni en sa **présence création-destruction, en une seule pensée.**
Comme un rêve (création) à notre réveil (destruction).

Oui, j'entends et je vois le champ des particules, des grains de lumière. *Ici, maintenant, dans la poésie du présent...*

Tout est brillant, c'est comme les reflets du soleil sur la mer : ils volent, existent l'espace d'un instant, réunis par des fils invisibles au soleil, éternellement omniprésents.

Aussi loin que la science avance, elle mesure le mystère de la séparation.

Ici est la sagesse.

Celui qui calcule, explique sa distance.

Entretien sur le pas de la porte

— *Au revoir, David... Vous savez, la vieillesse, ce n'est pas facile... Dans quinze jours, je vais avoir 93 ans.*

Je venais de passer dix minutes en sa compagnie.
Elle était d'une grande ouverture intellectuelle et d'une grande sensibilité d'âme. L'urgence à la transformation était là.

— Êtes-vous sûre d'avoir 93 ans ?
— *Il y a des moments, j'en doute, mais le corps me prouve que l'âge est bien là.*
— À quel âge remonte votre premier souvenir d'enfance ?
— *Je crois que j'avais deux ans. C'était...*
— Je vous invite à reconsidérer votre âge. Vous me dites que votre vie a commencé à deux ans. Avant, étiez-vous morte ?
— *Mais non, j'existais !*
— Donc, vous voyez bien que vous pouvez exister sans le souvenir de vos premières impressions, sans être identifiée au corps ? L'extérieur, les autres, vous ont imprimé des "images-vous" ; elles vous ont constituée en un corps-esprit, mais vous étiez vivante bien avant ça, n'est-ce pas ?

La vieille dame répond :
— *Heu !* [Silence] *Oui,* **OUI** *! J'étais vivante avant ce corps.*

– Oui, vous êtes la page blanche, la partie immaculée où il n'y a ni responsable ni coupable.

– *Alors, je ne suis pas res... [silence]. Je crois que je comprends [grand silence]. David, je n'avais jamais entendu les paroles du Christ comme maintenant :*
"Au jugement dernier, vous serez ressuscités d'entre les morts". Oui, avant que je ne me juge, je suis vivante !

Oui... Oui... J...e... suis... vivante...
avant...   d'être...   responsable.

– Oui, cela est.

Sur le seuil de la porte, la vie est entrée.

Entretien avec un vulcanologue

– *David, au départ, notre terre est une boule de feu : la chaleur et l'énergie sont considérables. Ce foyer, ce magma sont à quelques centaines de mètres sous nos pieds. De temps en temps, des explosions de lave catapultent à quelques dizaines de kilomètres les roches et les particules en fusion. Approcher les volcans et les observer est pour moi un lieu de fascination.*

– La conscience s'observant elle-même est aussi un lieu de fascination : la flamme, la lumière de la vie est vivante à son mystère.
Observons ce à quoi nous sommes identifiés, à notre force de gravitation corps-esprit. Comme pour la terre, la chaleur est là. Nous pouvons remarquer qu'il n'y a pas de flammes mais que cela chauffe à 37°. Cette non-flamme transforme la vie, les aliments, qui deviennent une autre énergie, cellules, peau, dents, sang, etc. Et tout ça, c'est automatique.
Pas d'intervention directe **du pensant et de l'agissant**.
Avez-vous une idée de la force pour maintenir en place les atomes, les cellules qui composent notre corps et notre pensée-moi ?
– *Je ne suis pas un spécialiste, mais rapporté à mon domaine, cela représente une énergie extraordinaire, les bombes atomiques les plus puissantes sont des étincelles comparées à la puissance de la violence en jeu.*

– Percevoir le jeu de la vie, la puissance et la violence de la création-destruction, libère l'homme de tous ses concepts, y compris ceux de création-destruction et de ses conséquences. Ici, les énergies s'unissent, fusionnent et s'opposent. Je crois que dans votre langage, on parle de lignes divergentes, convergentes, et de plaques de collision frontales. Pouvez-vous m'expliquer ces différences ?

– *Les lignes divergentes : la roche ancienne est solide ; entre les deux, le magma apporte une nouvelle terre qui vient se solidifier à son tour.*
Les lignes convergentes : les plaques terrestres passent en-dessous les unes des autres ; ce sont les zones de subduction.
Les plaques de collision frontales avancent et, en s'opposant, forment les montagnes.

– Ces trois exemples sont descriptifs de ce qui se passe dans les stratégies de défenses ancestrales chez l'homme et les animaux face à *l'ennemi :*

1. Déchirement et fuite devant la nouveauté : la création en cours.
2. Opposition forte, souterraine, et implacable de l'évolution : peur de l'inconnu.
3. Chocs frontaux : oppositions fortes, guerres, etc.

Voyons la relation évitée, ces volcanisations latentes :
« Sois sage ! que vont dire les gens ?! il ne faut pas se mettre en colère, c'est pas bien ! Regarde comme il est gentil, lui ! », etc.

Nos incompréhensions, colères, et violences enfouies non exprimées, génèrent tôt ou tard de la vapeur-pensée, et finissent par exploser.

Voir comment la terre, l'univers se crée, c'est voir notre origine, l'origine de nos comportements.
Ici, immédiatement, tout de suite.

C'est un mécanisme universel. C'est bien de le voir et de le reconnaître en nous.
C'est la non-relation évitée, **l'unité.**

Derrière chaque caresse, je suis.
Derrière chaque colère, je suis.

C'est comme ça que se perpétue le flambeau de la vie.
Ces explosions, ces fusions, ces confusions apparentes, font partie de notre patrimoine génétique, création-destruction. De la même façon, cette chaîne d'évolution, cette force de gravitation, *colle* toutes les images-moi, toutes ces fausses identifications-moi. C'est comme si les planètes oubliaient l'espace où elles évoluent. Pour les *décoller*, il faut parfois une énergie et une prise de risques considérables.

– Oui, ça me fait penser au moment où je m'approche du cratère du volcan : le danger est présent partout, l'atmosphère est sulfureuse. Là, sous mes yeux, je vois le monde se créer. La pression est colossale, des rochers entiers explosent. Rien ne peut résister à cette lave en fusion.

– Oui, rien ne peut résister à la force d'évolution, à la force de fusion, à l'unité : même si cela doit passer par des inconforts.
De relation évitée en relation évitée, la cocotte explose.
Alors, relions-nous, ne laissons pas monter la confusion, mais la fusion, l'alchimie de la relation.

Si vous vous mettez en colère, acceptez-le. Ne vous culpabilisez pas en plus, cela crée une nouvelle pression inutile.
La colère est un mécanisme d'auto-défense naturelle. C'est l'explosion de la vie ; c'est la flamme de la vie.
Observez un enfant. D'une seconde à l'autre, il explose de colère ou rit aux éclats. Je ne prône pas la colère mais si elle est là, elle est là.
Comme personne ne connaît le mécanisme des causes et des effets, qui peut prétendre avoir un jugement sur le comportement juste ?

> Derrière je suis, je suis
> Devant je suis, je suis
> Derrière la cause, je suis
> Devant l'effet, je suis
> Voyez, soyez la source.

– *David, vous riez si souvent, vous paraissez gentil, tout rose.*

– Oui, et même parfois, je deviens tout rouge !

– *Comment est-ce possible ? C'est incompatible avec l'éveil, la sagesse, la tolérance, l'accueil de l'autre !*

– Si votre ami est en danger au bord du volcan, ne prenez-vous pas de risques pour lui sauver la vie ? Vous êtes obligé d'aller au feu. Bien sûr, ce genre de sauvetage n'est pas confortable.
C'est ce que j'appelle le sacrifice de l'amitié, de la relation non-évitée. Mais je préfère faire comme vous, explorer la nature du mystère et les forces en jeu dans le volcan.

– *Ma passion c'est de chercher à comprendre les mécanismes d'éruption avant l'explosion, afin de prévenir tout danger pour la population.*

– C'est une attitude louable. Avez-vous exploré la "nécessité de comprendre" qui est en vous ?

– *La nécessité de comprendre ? Euh !... c'est une question que je ne me suis pas posée en ces termes, mais en étudiant les volcans, la création de la terre, je cherche à comprendre ma propre création, n'est-ce pas !*

– Voyez le miracle de votre création. Ici, par le fait de parler, d'entendre, d'être ensemble et de faire l'expérience de tout ce qui est.
Soyez à la source, au-delà de toute création et de toute compréhension.
Soyez, sans rien prendre. Sans comprendre.
Soyez présent à votre origine. Tout est déjà là.
Comprendre, c'est penser qu'il manque.
Il ne manque rien. Tout est là.
"Je suis" est : violence et non-violence en même temps.
Vous voyez ?

– *Oui, être présent à la destruction et à la création en même temps. Je vais regarder dans ce sens.*

– Oui, ne regardez pas seulement les sens interdits, soyez le sens-uni, présent à la vie unie-vers-elle !

Jeux de mots et brèves de comptoir (2)

"Je ne sais pas" est le gardien de l'inédit et de l'imprévisible.

La vie est le hasard de la nécessité.

L'évolution trouve toujours son hasard pour la nécessité du mystère.

Le gardien de l'imprévisible est le hasard.

Le temps est un sablier qui compte l'éternité.
Le sablier mesure le présent des montagnes.
Le temps est un train qui nous transporte ici.
Le temps est une flèche qui a perdu sa cible.

Vous n'acceptez pas votre vie, ne soyez pas étonné qu'elle ne se reconnaisse pas en vous.

La vie ruse, elle met en place des virus, pour se perpétuer éternellement.

Tout ce que ce livre exprime n'est rien.
L'essence du ciel est "Je" en vous !

Entretiens à la source

avec

Jean-Michel Carnoy

QUI SUIS-JE ?

Dialogue avec Jean-Michel

J.-M. C. : Dans nos discussions, on dirait que tu cherches à m'épargner ?

D. C. : Parler pendant des heures ne sert à rien. Les croyances s'enfilent les unes dans les autres ; c'est un chapelet. **Je veux te faire revenir à ta présence, pas à la présence de tes croyances.**

– Tu t'es libéré des croyances, moi pas ! Même si je vois certaines croyances, je n'en suis pas libre.

– Il ne te manque rien. Voir, c'est déjà penser, c'est déjà comprendre. Ton enquête sur toi est pur fantasme, relation avec l'ombre de ton ombre. Faire l'inventaire ne va rien faire de plus. Le paradoxe, c'est que j'utilise le langage pensé pour te faire prendre conscience qu'il y a un acte de conscience, un geste à accomplir, **un geste qui transcende tous ces niveaux d'obligation à la réflexion.**

Regarde le mouvement de mes lèvres. À chaque fois que je parle, il y a de l'air qui sort de ma bouche, c'est automatique. Je parle, je gonfle un petit ballon. **C'est une pensée-ballon.** Cette pensée va devenir une vérité. Elle va aller rejoindre d'autres vérités-ballons.

C'est comme les bulles que font les enfants dans l'eau savonneuse en se servant d'une paille : elles s'envolent et se collent les unes aux autres ; certaines se collent ensemble et forment une grosse bulle.

Un mécanisme de bulles-pensées s'instaure automatiquement. À ce niveau-là, c'est infini, le serpent se mord la queue, c'est l'histoire de l'œuf et de la poule (voir la petite aiguille).

Sous un autre angle, c'est l'histoire des deux parallèles qui se parlent. L'une avance, l'autre aussi, leur nature c'est d'être en parallèle. **Comme ça, des questions et des réponses sur toi peuvent se perpétuer à l'infini.**

Par sa présence, un éveillé coupe ce mécanisme ; il fait qu'à un moment ces parallèles se rencontrent. C'est la croisée des chemins. Tu arrêtes de voyager, tu es ici.

Tu as "tous-jours" été ici, à la rencontre de ces parallèles.

Mais pour le chercheur, ces bulles-pensées ne sont perçues qu'en termes de parallèles, de recherches, d'enquêtes.

L'enquête biologique, l'enquête sur le **"mal-a-dit"**, pourquoi pas ?… mais ça suppose encore la dualité, le bien et le mal.

Enquête sur ton vivant, pas sur ta mort. Elles te font si peur, la maladie et la mort ? Être en quête, c'est partir à la quête de la perfection. L'imperfection est perfection. Je suis l'ombre de Dieu, unie à sa présence, **seulement son ombre, "je ne sais pas"**.

Toi, tu veux savoir, pour changer les choses qui te sont inconfortables, pour changer ta vie. Tu vois la prise de pouvoir sur Dieu ?

L'éveillé ne peut pas dire : "Continue à chercher." Si tu le veux, si ça te fait plaisir intellectuellement, si c'est reconnu, alors d'accord. Mais il ne peut accepter ce mécanisme, ce "cadavérisme" sans geste de conscience.

Il ne peut pas dire : "Tu es un mendiant." Pour lui, tu es un roi. Tu as tout ce qu'il faut, renonce seulement à tes illusions. C'est tout.

— Si ça suffisait de le dire, il y a longtemps que tout le monde serait éveillé.

— Réveille-toi, descends de ta planète-pensée. Cela sera suffisant pour t'éveiller de ton sommeil.

Cet acte, ces gestes de conscience, peuvent s'accomplir dans toutes les circonstances de la vie, au sein du rêve, d'une méditation, d'une prière, ou pendant la journée, car là tu as un allié précieux pour le faire : ton corps.

— Quand tu me le dis, je suis totalement d'accord, mais ça ne change rien, alors pourquoi ?

– Ça ne change rien, parce que tu voudrais qu'il y ait du changement. Tu voudrais que les choses soient différentes.

Le changement est inclus dans le non-changement.

Tu es les deux en même temps, sois au-delà des apparences, sois la page blanche ; il n'y a même pas à comprendre, il suffit de faire, de regarder, de pointer, c'est tout.

– Tu as peut-être raison. D'un autre côté...

– Tu connais l'histoire du gars qui était riche et qui est devenu mendiant ? Toute sa vie a été une quête spirituelle, il a pris tous les risques. Il a quitté sa femme, ses enfants, sa maison. Maintenant, il est mendiant, une épave. Il a tout fait, méditations, prières, *sadhana*, boisson, drogue, sexe : rien n'a changé. Maintenant, il est désespéré, mais au fond de lui, il sait que tôt ou tard sa vie va changer. Aujourd'hui, la crise est plus forte, il veut se suicider, il en a assez. Il se met à pleurer, il demande un signe à Dieu, mais il ne se passe rien ; il redemande, toujours rien.

Il décide de passer à l'acte. Sur le chemin du forfait, il trouve éparpillé sur le sol, plusieurs dizaines de pierres précieuses et de diamants.

Il n'en croit pas ses yeux et remercie Dieu de sa miséricorde. Sa vie va enfin changer.

S'abaissant pour les ramasser, il constate que le sol est gelé. Ne voulant pas endommager son trésor, une idée lumineuse lui vient à l'esprit, il décide de faire pipi dessus, et instantanément, il se retrouve tout mouillé dans son lit !… Il venait de rêver.

Il faut lâcher toutes les illusions de sauvetage, de chercheur, de cherché, de miracle qui viendra demain, de reconnaissance, de ne plus avoir de souci, etc.˙
Es-tu prêt à lâcher tout ça ?
C'est celui qui entretient cette peur d'affronter ce rêve de peur qu'il faut dénoncer.
On a au fond de nous cette espérance au voyage, au changement, à l'herbe plus grasse ailleurs, à un "paradis sur terre".
On est attaché à ces croyances, on y met une telle énergie qu'on en a fait des forteresses !
Ce n'est que "pure illusion, rêves".

Pour éviter de regarder tes croyances en face, tu en fais des vérités que tu veux imposer aux autres, sous le déguisement de la connaissance, du haut de la connaissance spirituelle.
C'est la gargarisation du chercheur.
J'en étais.

C'est cette pensée matérialisée de chercheur qu'il faut lâcher, après l'avoir reconnue.

De temps en temps, je te donne des trucs, des joyaux de désinformation.

Mais, toi, du haut de tes savoirs de chercheur, tu sais ! Tu pèses à travers ta mesure, avec le poids de tes connaissances.

Tu te comportes comme l'âne qui transporte des paquets de livres sur son dos. **Ton savoir de l'ignorance est grand, et tu vas aider les autres. Les autres n'existent pas.**

C'est en toi que vivent les autres.

— Pendant des années, j'ai pratiqué des techniques qui toutes s'inscrivaient évidemment dans la croyance du chercheur, m'appliquant à faire quelque chose d'approprié au bon moment, de la bonne façon, pour avoir un résultat ; parce que je croyais à l'efficacité de la technique, et pour accumuler des mérites, ou pour les deux raisons à la fois. Maintenant, chaque fois que je me laisse convaincre, d'une façon ou d'une autre, qu'il y a peut-être quelque chose à faire que je n'ai pas fait, ou quelque chose de complémentaire, bref, que je rentre dans une histoire de technique, d'une part, ça suscite une sorte de NON, un ras-le-bol total, ou bien si vraiment je dépasse ce refus, si je commence à pratiquer, je me rends compte que je remets en place toute la croyance du chercheur ; c'est comme une sorte de régression. J'emploie le mot "régression" par rapport à la prise de conscience que toute tentative pour m'approcher de l'éveil m'en éloigne.

– Tu es la vérité, et tu crois pouvoir juger de ton éloignement ou de ton rapprochement ! Pure illusion. Il n'y a rien de vrai dans ce que tu viens de dire. Tu nous fais des bulles de croyance en disant : "Avant, je poursuivais mon chemin, etc." Il n'y a rien de vrai là-dedans. Ça n'existe que dans ta bulle.

Tu ne vas pas à la racine, tu ne parles pas de toi, tu as gonflé un ballon-pensée, et tu dis : "Voilà, dans ce ballon, je vais travailler sur moi."

Sois ici et là réunis, sois présence.

Tout remède pris pour aller là-bas va entraîner une croyance à la création ou à la destruction.

Puisqu'il y a création, une idée de création va s'entretenir dans ta tête. Alors, mon ami, faisons semblant qu'il y ait quelque chose à croire, et croyons qu'il y a un terrain à préparer.

Quand je te propose des outils, c'est une petite aiguille, une petite pointe en or.

– *Oui, mais si on ne croit plus aux outils, si on en a marre ?*

– Vois le jugement sur ta lassitude ; tu en as marre de toi, pas des outils.

– Mais comment est-ce qu'il faut faire ? C'est ça le pro-blème ! Tu me donnes une injonction qui, dans ma bulle, se transforme en problème...

– La solution est en toi ; c'est pas un problème, bulle de problème !

– Et bulle de solution, non ?...
Ça fait des milliers d'années que des éveillés essaient de dire aux gens ce que tu dis, sur tous les tons et dans toutes les langues !

– Un éveillé ne peut agir que dans le présent, pas sur des milliers d'années ...
Dans l'intimité du travail, là, soudainement, un mot qui était un vrai mot, avec sa charge de souffrance, va deve-nir : "Tiens, mais ce n'était qu'une bulle de mot !"
Une culpabilité a été vue, reconnue, volatilisée.
Une désinformation, un espace, va apparaître.
Ton disque **dur** va progressivement s'éraser.
C'est comme cela que ça s'est passé pour moi, au cours des rencontres, avec Steve, Yvan, Douglas.

Cela fait trente ans que tu fais fausse route et tu exiges la Grâce, tout de suite !
QUI es-tu ? Où est l'humilité de ta demande ?
Toi, tu convoques Dieu du haut de tes revendications...
Vois cela.

Sois la délicatesse du bourgeon qui s'ouvre, tu es toujours neuf, ton âme est toujours ouverte, tu dois être en alerte maximum.

Tu dois te sentir en danger, la peur au ventre, tu vas être mangé. Là, il y a obligation à l'attention, à la présence. Le sens-tu ?

– *Oui, mais...*

– Pour regarder, tu ouvres les yeux, tu accomplis un geste simple. Eh bien ! Ouvre tes yeux à la non-séparation.

Depuis que tu es tout petit, on t'a appris à te situer dans un corps : moi je suis ici, les objets sont là-bas ; regarde qu'il n'y a pas de frontière intérieur-extérieur.

C'est le cerveau qui te permet de croire et de projeter un extérieur.

Tu es les deux à la fois, intérieur et extérieur.

Si je regarde ce tableau qui est devant moi, et si je perds de vue ma page blanche, mon écran blanc, alors, le tableau va exister séparé de moi.

En réalité, tu es ouverture, tout rentre, pas de stockage, pas de possession, pas de propriété.

Le propriétaire est celui qui voit, pas celui qui possède.

Tu n'es pas le propriétaire de ton illusion, tu es rêvé.

Tu es spectateur, jouisseur, c'est une possibilité à rire, à pleurer, ou à souffrir, sans rien changer à ce qui est.

– La notion de territoire et de possession est inscrite et codée dans notre biologie, n'est-ce-pas ? Et celle-ci est organisée autour de stratégies de survie élaborées aux cours de milliers d'années. Ce corps que je suis va toujours revendiquer de défendre un territoire car son intérêt en tant que corps est de se maintenir le plus longtemps possible.
Etant très identifié au corps, l'esprit passe lui aussi son temps à revendiquer son territoire de survie. L'animal le fait, et moi, en plus, je le pense en permanence...

– En permanence, de tout temps, il y a l'impermanence.

– Oui, mais le corps n'est pas impermanent, il veut disparaître le plus tard possible. Etant identifié au corps, je fonctionne sur les mêmes principes. Il y a une confusion incroyable entre le biologique et le spirituel, et transposer les lois biologiques au niveau de mon esprit, c'est opérer une réduction qui est peut-être la source de ma souffrance, de mon aliénation ?

– Toi, tu te réduis aux deux opposés, d'un côté esprit, d'un autre le corps. Chacun son fonctionnement, chacun son système. **L'unité intègre tous les opposés, elle ne différencie pas**. La **solution**, c'est de **t'incarner** dans ton corps. Tu n'es pas même dans ton outil minimum de relation, tu es dans une bulle, tu ne te sers pas de ton corps.

– Cette bulle est le résultat de l'identification au corps ?

– C'est une bulle qui est attachée au corps.
Tu t'intellectualises, tu ne sens pas ton corps vraiment.
Tu te l'imagines. Tu as vu le dessin "les autres, les culpabilisations", où ça part du nombril ?
Quand tu parles de ton corps, tu parles de toi dans une bulle de toi, mais tu n'es pas présent à ton corps.
Il te faut d'abord couper le cordon ombilical relié à une bulle de toi-même.
On devient alors non-né.

Quand je parle de la page blanche, je ne donne pas que la technique, je mets tout l'amour qu'il y a autour de ça, c'est un geste poétique, un geste de création, et si quelqu'un se met en symbiose avec cette poésie, le langage universel apparaît, au-delà de l'intellect.
C'est un langage où seule la lumière passe, où les vérités trépassent.
Celui qui pourrait lire ces petits poèmes et en choisir un, le soir avant de s'endormir, en se laissant bercer par la musique de la poésie, sans essayer de la comprendre, de l'interpréter, verrait la magie s'opérer.
Il est bien de "se laisser agir", de s'infuser.
À l'inverse du thé qui colore l'eau, la pensée-croyance va se décolorer.

Chaque poème est une cognition d'unité.
Il enlève au fur et à mesure des lambeaux de séparation.

Dans le parfum de la poésie, seule la lumière passe, les mots sont lumière pure, ils ne portent plus le poids de leur affirmation.
Comme tout ce que je viens de dire, rien ne peut être fixé, retenu comme étant vrai.
On se laisse seulement bercer.

Fondamentalement, les techniques ne servent à rien.
Toute ta construction mentale est technique, tout ce que tu énonces sur toi-même est technique.
Dans chaque cellule de ton corps, il y a la liberté, il n'y a pas la prison.
Les poèmes décrivent l'universel, les lois de la nature.
C'est descriptif au-delà de toute signification, avant le codage, avant les gènes, sans gêne !

Pour labourer son terrain, on ne prend pas une bêche virtuelle.
L'éveillé sert à te ramener à ton terrain primordial.

– *Quid de la "réalité du monde" ?*

– Quand on se réveille le matin, avant d'entrer dans le monde, de le solidifier et de le rendre vrai, **le monde est**

lumière. C'est la conscience consciente d'elle-même en fluctuation. C'est le domaine de toutes possibilités.
Puis arrive une impulsion de vie ; tout est virtuellement là. Il n'y a pas de nouveau, pas d'ancien...

— *C'est une description très védique du "domaine de toutes possibilités". C'est l'histoire des "siddhis"...*

— Je suis, comme toi, celui qui est, domaine de toutes les possibilités. Puis arrive un coup de baguette magique, et le monde va exister, se matérialiser.

— *Qui va prendre forme ?*

— Toi. C'est comme ça que tu t'arrives à toi-même.
Tu vois le miracle de la création, ici immédiatement, tout de suite ? Pas dans une histoire de recherche au pouvoir, tu es déjà le pouvoir de vie ! Ne cherche pas des cadavres d'histoires !

Le fait de penser, de parler entre nous, est déjà le miracle.
Ne cherchons pas un sur-miracle ! Les *siddhis* marchent déjà.
Le fait que tu sois dans ton corps, c'est déjà la preuve qu'ils projettent la vie.

Voir, c'est déjà penser. C'est déjà ta liberté.

C'est ce que j'appelle le rêve de Dieu. Je suis rêvé, je suis le rêve de Dieu. Je suis la créature. Il a toutes les ficelles dans Ses mains bénies. Moi, je ne peux que prendre conscience de ça, et trouver que c'est génial, divin.

Je suis la marionnette de Dieu, sans pouvoir, non agissant.
Là, tous les impossibles vont devenir possibles et exister.
Les murs de la chambre vont devenir de vrais murs, et moi, je vais devenir vrai, solide, me pensant, m'agissant.

Tout est virtuel, et d'un seul coup, **l'univers va naître au monde**.

– *Et l'intellect, quel est son rôle ?*

– L'intellect est le support qui va permettre toutes ces transformations, ces projections, cette magie d'amour.

Tu sens combien ta présence est attendue et désirée. Ta possibilité à discriminer, à inventer, est sans limites, tu le sens.

L'intellect invente comment nous, nous devenons vrais, et identifiés à ce que nous sommes.

L'intellect est comme une toile d'araignée.

La toile retient prisonnier tout ce qui passe, sauf la lumière.
L'intellect retient, colle les images et rend le film de la vie possible.

De la même façon, de virtuels, nous devenons vrais.

À chaque fois qu'une pensée va se penser, de ce point de conscience infinie va naître une infinité d'infinis.
De ce point-tout, va naître une image en trois dimensions : moi, le temps et l'espace.
La distance Moi – Séparé de moi va apparaître.

L'intellect est le gardien du temple.
C'est la toile qui va filtrer les vérités ; seule la vérité nue, lumineuse, va passer. Les vérités affirmées seront arrêtées.

Il est là pour protéger la virginité, la pureté, il est là pour protéger le rêve de Dieu. La vérité ne peut passer que si elle s'est déshabillée, que si elle a revêtu son habit de lumière.

L'auto-destruction de mes propos passe par cette même impeccabilité intellectuelle.

– L'éveil consiste-t-il en la remise en cause de la notion de réalité ? Quelque chose qui ferait apparaître la réalité du

jour aussi irréelle que celle de la nuit ? Que devient à ce moment-là la notion de la réalité ?

– S'éveiller, c'est reconnaître que nous rêvons, que c'est un rêve de réalité. Ça ressemble au réveille-matin : "Tiens, je rêvais, je me réveille et je vois que ce n'est pas vrai."

Reconnaître qu'on rêve, c'est devenir présent dans les phases de transition veille et sommeil.
C'est découvrir qu'on peut être autre chose que celui qui est identifié à sa personnalité de la journée et à son rêve.
C'est la lumière qui entre le matin entre les fentes du volet de la chambre. Pour cela, il faut ouvrir les yeux et reconnaître que les volets sont fermés et que des croyances ont fermé les volets. Les croyances sont comme des statues figées. Reconnaissant cela automatiquement, l'ouverture va se produire et un pont de lumière va entrer dans la pièce.

– Comme un pressentiment ?

– C'est un présent, un endroit où l'on n'avait pas l'habitude d'être présent. D'habitude, on est absent à nous-même...

– J'ai l'impression de connaître ce pressentiment. Je voudrais t'en parler car il est source de bien des difficultés dans le quotidien.

Il y a des moments où la trame de la réalité semble se déformer et se distendre. La réalité se décongèle, se liquéfie, ainsi que mon identité, comme cela se passe lorsqu'on sort d'un rêve, lorsque celui-ci perd de sa consistance. Lorsque les croyances (qui constituent la trame de ma réalité) cessent de s'imposer comme vraies, lorsque je commence à douter de mon état-civil, de mon entourage, je perds tout intérêt pour l'action. C'est très déstabilisant. Peut-être que c'est une des conséquences de la pratique méditative qui, nous faisant décrocher de la pensée, nous fait décrocher de la croyance. D'après ce que tu dis, ce serait une bonne chose ! Mais, si je décroche de la croyance, comment opérer les choix nécessaires pour agir ? Comment savoir ce qui est bon ou mauvais, juste ou injuste, utile ou inutile ? Si la dénonciation de la croyance entraîne davantage la dépression que l'éveil, est-ce que c'est parce que cette dénonciation reste à son insu dans le système stérile de la pensée ?

– Tu fais ta mayonnaise, tu touilles dans le virtuel, pas dans le réel. Ce n'est pas suffisant.

– C'est là que tu dois entrer dans le détail précis et technique du pourquoi ce n'est pas suffisant !

– La croyance à ta non-précision est croyance à ta séparation : tu es déjà précision ; là, c'est de nouveau quelque chose qui va venir se figer dans la toile d'araignée.

– *Pourquoi, comment ?*

– "Pourquoi, comment" sont des affirmations, parce que ces affirmations, ces croyances, sont vues, reconnues et rendues prisonnières. Elles sont pétrifiées.
C'est une reconnaissance intellectuelle, c'est une dénonciation intellectuelle, mais ce n'est pas un acte de conscience ; le geste de création pure permet de transformer ça en une vérité lumineuse qui passe à travers la toile d'araignée.
Toi, tu l'as transformée en une autre croyance solide, figée, en une cristallisation d'une vérité, en une affirmation, subtile certes, parce que tu es merveilleusement subtil, intelligent, raffiné, mais ça ne va pas assez loin, ce n'est qu'une conceptualisation complémentaire. À ce niveau-là, c'est la discussion des parallèles entre elles, aussi magnifique que puisse être ta pensée ; mais ça reste la même "mayonnaise à la sauce Carnoy", pertinente, brillante.
Vois-le, réconcilie-toi avec cela, aime-toi comme tu es.

– *Qu'est-ce qui fait que ça reste une affirmation ?*

– Ça restera une affirmation tant qu'un "je ne sais pas" ne t'en fera pas prendre conscience, dans l'instant où tu l'exprimes, où tu le vis.

La seule possibilité qu'il a, c'est d'arrêter les pensées là où elles commencent à s'exprimer, pour y introduire du silence, la page blanche.

Tout dépend de la qualité d'ouverture des volets et de la possibilité à dérouiller les gonds. Pour certains, cela va être reconnu immédiatement, et pour d'autres, cela va prendre du temps.

Je te dis, tu n'as pas fait le travail suffisant. Il n'y a rien à regretter, seulement à poursuivre la transformation.

Tes vingt-cinq années de pratiques spirituelles ont été du raffinement dans la pensée de connaissance, dans l'abstraction de toi-même, mais en termes d'efficacité du travail sur le terrain d'ici et là, maintenant, **cela n'est pas assez.**

Il faut arriver à le voir et à l'accepter. Pour moi, cela a été très difficile de prendre "le risque du réel". Les yeux grands ouverts. Merci Yvan...

Derrière la méditation, j'avais caché tellement de peurs : la peur de l'avenir, la peur de l'inconnu, la peur de ma violence, la peur de la guerre, la peur de la maladie, la peur de la mort, la peur du réel, la peur de ne plus être protégé, la peur de voir mon égoïsme, ma fausse charité, et la culpabilité de ne rien faire pour sauver le monde...

Ma situation, à un moment, était si absurde, si utopique, que j'étais en "guerre" avec mes voisins, et que je méditais trois heures par jour pour la paix dans le monde.

Je n'étais pas cohérent, j'étais malhonnête, et je préférais m'en remettre aux explications de seconde main, bien convaincantes, dans de belles phrases dorées.

Je ne vérifiais pas par moi-même, je me volais, je me mentais. J'avais perdu ma référence, mon autoréférence, ma page blanche. Mes nuits cauchemardesques étaient la preuve de mes mensonges...

– *Ce que tu dis n'est pas une découverte au regard de ce que je vis actuellement...*

– Découvre que tu es recouvert de ces peurs sous l'intelligence de tes questions. Tu ne risques rien, sinon de voir qu'elles sont de fausses peurs. Cela t'arrange de ne pas voir.

Aujourd'hui, tu prends une punaise, et clac, tu accroches : "David a dit ça." As-tu vu le descriptif des trois pages ? Le simple fait de les regarder doit te faire comprendre le mécanisme de dévoilement.

La première page grise est marquée en noir. Dans ce noir, je ne suis pas immaculé ; là-dedans, il y a toutes mes croyances inscrites, tout ce que tu annonces dans tes revendications de chercheur.

La deuxième étape de transformation, c'est la page sur le fond gris. Les dévoilements enlèvent du gris, ils permettent d'entrevoir la page blanche.

Ce ne sont pas des affirmations, ça ne vient pas s'inscrire, c'est quelque chose qui vient s'enlever.

Alors, tu t'allèges du poids de tes croyances. Il ne faut rien ajouter, il faut enlever.

Ça veut dire ouverture, ça veut dire une complicité avec l'éveillé. Il faut s'en remettre à lui, contestant pas à pas, croyance après croyance, tout ce qu'il va dire. **C'est comme ça que tes croyances vont apparaître à la surface de toi-même.**

Je ne te demande pas d'avaler de nouvelles couleuvres à la sauce David.

Tout tourne autour de l'histoire d'identification psycho-corporelle : tant qu'on n'a pas compris qu'on est identifié à cela, on ne peut pas s'en séparer.

On ne peut pas créer l'espace entre deux pensées si les volets sont fermés. Il faut que cet "eurêka !" intellectuel ne soit pas seulement intellectuel ; il faut qu'il soit dans une relation corporelle, dans une relation onirique, dans une relation au-delà des rêves.

Le qualificatif "éveillé" m'a sauté à la figure en pleine nuit ; je ne l'ai pas fait exprès, c'est lui qui est venu à moi.

Malgré mes dévoilements successifs, il me manquait l'éveil, et l'honnêteté a été de me dire à ce moment-là : je suis un menteur, je ne suis pas éveillé.

Et aujourd'hui, je continue à dire : je ne suis pas éveillé.
Si je le pensais, je le fixerais, et je ne serais plus transformation vivante. **Vu mais pas pris.**
La remise en question de tes ancrages va être une chirurgie dérangeante. Vois combien tes recherches ne sont pas tournées vers l'éveil, mais vers la recherche du **"paradis sur moi"** (variante du paradis sur terre).
Bien sûr, ces paroles sont difficiles à entendre, mais en même temps, elles ne sont pas vraies. Je suis là pour te prouver le contraire. Je suis là pour te dire comme c'est facile. Insistons ensemble, **je ne te juge pas**, je suis là pour te donner la main, parce qu'il suffit de peu de choses, juste une ouverture, un tout petit écart dans les volets.
Juste un petit cœur dans le volet et là, tu vas voir arriver des milliers d'anges. Ils n'attendent que ça, le moindre petit trou, ils le surveillent pour s'y engouffrer.
Dieu n'attend que ça, tu es encerclé par la lumière, elle ne demande qu'à te transpercer.

– Penses-tu que je n'ai jamais rien fait, que la transcendance n'a servi à rien...?

– Je vais te préciser la réalité de ta demande pour que tu puisses voir, ressentir et transformer la croyance que tu perpétues. **Es-tu prêt à risquer beaucoup de choses pour l'éveil ?**

– Oui.

– Pour toi, l'éveil est une quête importante. C'est la recherche de toute ta vie ?

– *Oui.*

– Tu es prêt à tous les sacrifices, tout au moins à risquer des choses importantes, qui remettraient en cause des croyances ?

–*Oui.*

– L'autre jour, je t'ai demandé : "Danse avec moi."
Tu n'as pas voulu.
Pourtant qu'est-ce que c'est de danser ? Tu m'as répondu :
"L'éveil à ce prix-là, jamais."

Vois la réalité et la prise de risque que tu es prêt à prendre pour t'éveiller !
Je te demande, dans une pièce où il n'y a pas de témoin, de danser avec moi, tu n'as pas voulu. **Vois-tu le décalage entre tes actes et tes paroles ? Vois-tu le décalage entre ta pensée utopique et un acte simple à faire ?**

– *Ce que tu dis est vrai et faux. J'ai pris le risque de m e confronter à ça, et le fait de prendre le risque d'être sincère avec ma peur et mon refus a déclenché des événements qui font que maintenant je n'ai plus ce problème.*

– Tout à l'heure, tu me disais que dénoncer tes croyances ne servait à rien. Qu'en est-il maintenant ?

Comme toi, je suis transformation, j'apprends, j'affine sans fin ma relation avec le réel, ma femme, mes enfants, mes amis, ainsi que ma relation au Mystère.

Tous les jours, des précisions arrivent sur les mécanismes de relation avec le Divin.

Je ne me cache pas derrière un savoir d'éveil.

Je suis "je ne sais pas".

Ceci pour te dire à quel point on peut être en décalage avec une affirmation et la réalité de l'affirmation.

Tu veux bien faire des choses extraordinaires, pour des grandes idées et pour refaire le monde, mais dans des endroits très simples, tu ne veux pas le faire.

Ensemble tous les deux, on se transforme.

Il n'y a pas d'un côté, moi l'éveillé, et toi, le chercheur.

Ensemble, nous allons inventer notre relation dans l'instant.

Je n'ai pas une méthode universelle sur laquelle je peux compter. Ça n'existe pas. **Je suis présent en présence de je ne suis pas.**

Cela veut dire que je ne me "planque" pas derrière une technique, un savoir-faire.

Je suis un savoir-être, sans savoir.

Je suis l'ombre de Dieu, comme toi quand tu marches avec ton ombre. Regarde-toi marcher. Tu vois ! Ne sois pas paralysé, marche !

Je suis relié, comme une marionnette, à Ses pieds bénis, seulement à Ses pieds, pas à Sa place, seulement uni à mon mystère.

Je suis libre et neuf dans chaque relation, et dans chaque relation, je me fais avant tout plaisir.
Si tu n'aimes pas cela, c'est ton problème.
Tu n'es pas l'**objet** de mon amour ; en "Je suis", nous ne sommes pas séparés. C'est le miracle du "sur mesure" ! Pas de distance. Alors, reliés, toi et moi, nous sommes **trans-form-action**. Tu sens cela, mon Ami ?

Tout ce que je suis et que ce livre exprime

est néant.

L'essence du ciel est toujours

non exprimée !

– Tu as pratiqué une technique de méditation pendant des années. Est-ce que cela t'a aidé à progresser vers l'éveil ? Ou bien est-ce que le seul intérêt d'une pratique est de se rendre compte de son absurdité, dans la mesure où l'éveil étant notre véritable nature, tout ce que l'on fait pour s'en approcher nous en éloigne ? Une technique est-elle utile, en existe-t-il des plus efficaces que d'autres, et en quoi réside leur efficacité ?

– Tout est toujours utile, même si on n'en voit pas les fruits immédiatement. Quand on marche, il faut abandonner son pas pour en faire un autre, ou plus exactement il faut le transformer **en un marcher présent**.
Il faut transformer les techniques que l'on a figées dans des systèmes de croyances.
Les techniques sont pour beaucoup des impasses, car les pratiquants les ont fixées.
Les techniques sont faites pour l'homme, et non l'homme pour les techniques.

On ne fait pas du neuf *avec* de l'ancien ; seule la coïncidence de la survie est émergence, fulgurance, union.

En se perdant dans l'obligation à la technique, nous prenons l'habitude de ne pas reconnaître ce qui est toujours là. **Le présent est un travail à plein temps.**
On ne peut pas s'éveiller, si on ne garde pas le doute universel.

L'éternel présent se situe du big bang à ici, immédiatement, tout de suite.

Il faut tout garder, mais en même temps tout lâcher.

Ne pas entretenir l'habitude, pas de comportement machinal, il faut devenir l'imprévu en mouvement et **lâcher la croyance aux techniques.**

On les a figées dans un système de protection spirituelle.

On a déterminé la Grâce, on l'a immolée sur l'autel des croyances. On en a fait du solide, alors que le **"je ne sais pas" est fluidité infinie.**

L'inattendu est étonnement de la vie : c'est toujours la première fois.

Ce qui n'est pas le hasard, s'explique, se mesure, se programme, se manipule et se vend.

Toute la beauté de l'aventure humaine est dans la découverte du non-but. C'est un voyage au cœur de l'expérience, où sont offertes, autorisées, toutes les fantaisies, toutes les imaginations, toutes les techniques, pour faire l'expérience de ce qui est : regarder, sentir, goûter, toucher, penser, communiquer et être en relation avec l'environnement. Tu es cela, ne cherche pas d'autres yeux. Les tiens sont-ils en verre ?

Ne marche pas sur les pages des livres. Sois présent à ton pas. L'éveil ne refait pas le passé. Il ne sert ni à ceci, ni à cela, ni à celui-ci, ni à celui-là. Il n'y a pas d'acteur des actions, seulement présence au mystère.

L'homme est liberté, il ne doit pas être prisonnier de sa technique, il ne doit jamais s'y habituer.

Le bonheur est dans le présent.

– Ce qui explique qu'au début, quelqu'un qui s'engage dans une nouvelle pratique, quand il est sincère avec lui-même, a des expériences de transcendance, d'approfondissement de l'intériorité, de connaissance de soi, de transformation dans la relation avec les autres, mais, par la suite, ces expériences s'estompent, s'affadissent ou disparaissent.

– L'innocence, la nouveauté, sont là, mais après, ça se pétrifie. On veut répéter la même expérience et de nouveau fixer la vie. On va figer notre observation par rapport au *mantra* (mot utilisé comme support pour la méditation) : moi ici et le mantra là.

Sujet	distance	objet
1	2	3

L'objet n'est pas à l'extérieur, il est à l'intérieur, mais ça reste un objet !

Là, à l'infini, je vais observer. Nous revenons aux parallèles. Il n'y a plus le hasard de la surprise, plus de possibilité à l'inattendu de la vie.

On a scellé cette trilogie.

– Pour autant que tu te souviennes de ton parcours, quelles ont été les grandes étapes de transformation dans l'utilisation des techniques ?

– Ça m'a apporté la relation avec l'intériorité. Mais c'était dans une relation "moi-pensée" de moi, dans une bulle, pas dans le réel.

– C'est peut-être le recul qui te fait schématiser, non ? Car tu devais parfois aller au-delà des pensées de toi vers une présence à toi ?

– C'était l'impression David, l'impression psychoaffective d'exister, l'impression-moi ; j'avais un corps, une famille, etc. Je ne savais pas vraiment qui j'étais.

– Là, tu décris la façon dont on vit en référence aux objets, au décor extérieur ; mais la méditation a dû t'amener à faire l'expérience de toi sans passer par un médiateur extérieur à toi, donc à te faire découvrir une meilleure relation à toi, plus directe, se situant au cœur de l'intériorité ?

– Ça m'a appris la notion d'intériorité, ça m'a permis de découvrir que je pouvais m'observer d'un autre point de vue. Avant, je me pensais identifié au monde extérieur, alors que là, j'allais à la découverte d'un territoire de recherche intérieure.

Maintenant je le sais, mais à l'époque je ne savais pas que **ce territoire intérieur était un objet d'observation**. J'observais des objets, j'observais la carte, mais je n'explorais pas le territoire.

– Ce que tu appelles les objets d'observation, situés dans le territoire intérieur n'est-ce pas ce que l'on appelle les expériences spirituelles ?

– Oui, les expériences, les lumières intérieures, les sons intérieurs, tout se qui se passe, non pas en termes de dévoilement, mais en termes d'observation.
Les yeux fermés, je regardais comme si je regardais quelque chose d'autre, je ne faisais pas la liaison avec moi-même.
"Tiens, je vois des couleurs !" J'ai passé des années à observer ce processus dans ma tête. Les yeux fermés en méditation ou en prière, il y avait moi-distant-de-moi.

– Ainsi le changement (ou plutôt l'impression de changement) que l'on représente en méditation viendrait d'un déplacement de territoire : on déplace l'observateur du territoire de l'extériorité vers celui de l'intériorité, sans remettre en question la façon dont il explore la relation à un territoire ; donc rien n'a finalement changé tant que n'ont pas été vues et dénoncées les frontières placées dans le territoire que l'on explore ?

– Non, l'explorateur ne se remet pas en question, parce qu'il est sûr de son territoire, du bien-fondé de sa recherche et de sa réalité de chercheur. Son territoire vivant n'est pas reconnu. Il ne voit que son territoire virtuel où sont cartographiées toutes ses croyances, et son identité affirmée.

– *C'est peut-être pour cela que la recherche spirituelle aboutit en général dans une impasse : les territoires de l'extériorité et de l'intériorité présentant des décors très différents, on a l'impression d'avoir fait quelque chose de très différent en passant de l'un à l'autre. En réalité, il n'y a pas de différence car on a gardé le même explorateur empêtré dans ses questions, ses explications, ses revendications. À quel moment, et comment as-tu soupçonné que tu piétinais ?*

– Je ne savais pas que je piétinais, **j'étais dans ma croyance de chercheur**, donc dans une croyance de progression. Comme une roue qui tourne, j'étais identifié à la circonférence de moi-même, je n'avais pas découvert mon axe. Un jour, j'ai pris le risque d'arrêter de méditer.

– *Cette croyance à la progression est un piège commun au chercheur scientifique et spirituel : les différences du décor étant infinies, l'accumulation d'expériences et de connaissances de ces différences donnent l'impression de progresser.*

– À ce moment-là, on ne le sait pas, on est dans le dialogue des deux parallèles.

On n'est pas à la croisée des chemins, on peut pérenniser ce système pendant des années à l'intérieur de soi-même.

Comme le fauve dans sa cage, **on tourne en rond dans sa tête.**

– *Comme les scientifiques qui explorent, et peuvent explorer pendant des milliers d'années les possibilités de l'extériorité grâce à des techniques de plus en plus performantes.*

– Oui, comme ceux qui explorent avec des télescopes, et des microscopes, c'est le même principe :

sujet distance   objet ou non-moi

1   2   3

– *Donc, le chercheur-méditant est dans la même position que le scientifique. Le méditant utilise l'outil approprié pour l'exploration de l'intériorité, et le scientifique utilise ses outils d'exploration de l'extériorité ; mais finalement, c'est la même chose, la distance n'est pas abolie, la frontière demeure.*

– Chacun vit dans un monde parallèle, **en parallèle de lui-même**, d'où la nécessité de croiser les routes.

– L'exploration du territoire, qu'il soit intérieur ou extérieur, est absolument infinie et illimitée. Donc, la finalité de toute recherche n'est pas l'exploration du territoire ! **Ce serait peut-être là le grand piège de la spiritualité** : *étant déçu par l'exploration du territoire de l'extériorité qui n'a pas tenu ses promesses (à savoir m'apporter le bonheur), je me tourne vers l'intériorité de façon tout aussi pathologique.*

– "JE" est sans territoire, sans frontières, il n'appartient à personne en particulier.

Pour s'exprimer, tous les humains utilisent "JE".

Là, pas d'intérieur, pas d'extérieur, c'est la demeure de toutes les paroles, de toutes les pensées et de toutes les idées. Tu vois comme elle est magique, ta vie ?

Si tu n'es pas là, personne ne regarde les étoiles, et personne n'est là pour se penser.

Avant que je trouve "**je**", relié aux autres, c'est-à-dire à "**nous**", je ne pouvais pas nouer la première personne du singulier,"**je**", à la première personne du pluriel, "**nous**", ni relier l'aspect personnel à l'aspect universel.

L'intériorité était alors la bonne occasion pour m'isoler de mes peurs, de mes problèmes, et pour me retirer du monde.

Je ne fais pas le procès des différentes écoles, des différentes techniques, seulement celui de la croyance et de l'illusion que l'on entretient dans cette projection.

– Cependant, on ne voit pas que l'on ne s'est pas remis en question au niveau de la croyance.

– Non, on s'est conditionné, comme "croyeurs patentés". On momifie les croyances pour qu'elles continuent d'exister. On se met des bandelettes devant les yeux. C'est sûr que les yeux fermés, on ne risque pas la rencontre avec l'extérieur ! Quelle chance de ne plus être dérangé par les autres ! On se fait ses petits monologues intérieurs, les yeux fermés, on se dit qu'on médite pour les autres, pour la paix dans le monde !

– Oui, et en plus les expériences sont gratifiantes...

– Oui, mais pour ceux qui sont sincères dans leur quête, il sera nécessaire d'être le trait d'union entre l'absolu et le relatif, entre le repos et l'activité. S'il y a déséquilibre, le réel réclamera vite sa part à la vie.

– Il y a peut-être un avantage à privilégier une recherche intérieure : on a plus de chances de s'approcher de notre source, voire de se retrouver à la source de nous-mêmes, dans un "eurêka !" absolu ?

– Oui, mais quand on ouvre les yeux, les problèmes reviennent. Avec le recul, je me rends compte qu'il n'y a rien à favoriser. Privilégier la méditation les yeux fermés par rapport à la journée, c'est refuser l'aventure de la journée, et perdre la richesse de la rencontre de l'existence.

Le réel passe partout, il est présent partout : dans l'état de veille, de sommeil, de rêves.

"Je" est universel. Il transcende toutes les explications, toutes les expériences et tout ce que je peux dire.

– Voilà donc un autre piège : favoriser le domaine de l'intériorité comme si la vérité était moins présente dans la journée, dans les rêves, etc.

– Bien sûr, et l'on avale une vérité de plus : l'intériorité. Le déséquilibre se creuse alors par rapport au réel.

Mes cauchemars, ce système d'alarme de l'âme, étaient la preuve de mes duperies.

Je me répète, la fusion est partout : dans la prière, dans la méditation, dans l'activité et dans les rêves.

S'il y a un déséquilibre dans la recherche, ta propre survie va te faire mettre le doigt sur tes incohérences, sur tes croyances.

– Parmi les anciens chercheurs, un certain nombre constatent qu'ils n'arrivent plus à pratiquer leur technique, comme si elle était "usée", n'engendrant plus d'expériences agréables de transcendance. Un certain ennui,

voire un ras-le-bol, se manifeste durant la pratique, mais en même temps, une grande qualité de vigilance s'impose tout au long de la journée (et même de la nuit, pourrait-on dire, concernant les rêves). Certains vivent cela comme une régression, d'autres se sentent coupables d'arrêter une pratique dans laquelle ils ont tant investi.

– La culpabilité est de se sentir séparé de soi-même, pas de continuer ou d'arrêter une pratique. Le territoire, c'est l'omniprésent, ce n'est pas un lieu ; il n'y a pas une distance à parcourir.

– Le territoire devient celui d'"ici et maintenant" ?

– Oui, le chercheur retourne sa flèche, il ne cherche plus un objet, une cible : le sujet tire sur lui-même.
Je cible Je.

– C'est effectivement suite à la dénonciation des méca-nismes de croyance que se manifestent les difficultés à méditer, et que s'impose la vigilance de l'instant présent. Il semble que l'on dépense beaucoup d'énergie à entretenir, à notre insu, nos stratégies de croyances dans le but d'apaiser nos peurs. Lorsque ces stratégies sont mises à jour, un vide d'énergie se manifeste, entraînant un état dépressif. Il est difficile de mobiliser l'énergie dans la vigilance de l'in-stant présent, car cela nous confronte à nos peurs ; mais si ces peurs sont affrontées avec courage, il apparaît qu'elles

ne sont justifiées par aucun objet réel : seulement des objets fantômatiques. C'est alors que se produit une ouverture, une libération. Que s'est-il passé pour toi quand tu as pris le risque de ne plus méditer ?

– La méditation, c'était la matérialisation d'un fanatisme, une croyance poussée à l'extrême.
La croyance à la certitude : tout, sauf le hasard.
L'incertitude est la certitude de l'Un ; là se trouve l'Unité, pas dans un mécanisme de causes à effets.

– Tu dis souvent que l'éveil remet en question la notion de causalité. Nous avons toujours peur des conséquences de nos actions et nous évitons de prendre des risques, car nous avons le sentiment très fort et permanent que nous sommes immergés dans un monde dominé par la loi de cause à effet. J'ai eu beaucoup de mal à envisager le point de vue : "Quoi que je fasse, cela ne change rien" (que deviennent, alors, l'éthique et la responsabilité ?), même si je comprends qu'il n'y a pas à privilégier un point de vue entre : "Si je fais ça, ça change tout", et "Si je fais ça, ça ne change rien." Je ne suis pas, pour autant, libre de mes conditionnements ; je me sens responsable, j'attends mes récompenses, je revendique des succès en tant que conséquence de mes bons choix (le fameux "soutien de la nature").

– L'espoir, l'énergie qui étaient tournés vers l'intérieur se sont épanouis comme un bourgeon vers l'extérieur. J'étais prisonnier momentanément de ma structure mentale. Quel bonheur cela a été d'accepter l'extérieur et de l'inclure dans ma recherche du moment !

Actuellement, le réel, le sol, t'offrent des résistances. Tout ce que tu fais avec ta bêche te semble peine perdue, c'est une bonne nouvelle.
Tu commences à reconnaître que tu te sers d'une bêche virtuelle pour travailler sur tes croyances : c'est bon !
Beaucoup sont dans la projection du "soutien de la nature". Ils sont déjà le support de la nature puisqu'ils sont vivants ! Comme Obélix, tu as déjà la potion magique ! La peur du réel te fait voir le serpent. Si tu oses t'approcher un peu, tu verras que c'est une vieille corde.
Moi aussi, je voulais ignorer le monde, je ne voulais pas m'approcher du serpent. J'avais trop de croyances à la peur de ce qui est.
Je me répète : quand j'ai arrêté de pratiquer, cette énergie, cette présence d'intériorité s'est transformée vers le monde, et j'ai reconsidéré mon point de vue du réel.
Je me suis libéré de ma prison. J'ai retrouvé une énergie fantastique.
Je me suis tout simplement réuni à tout ce qui existe.

– *Je suis très content que nous parlions de cela. L'aventure intérieure a commencé historiquement dans les années*

soixante. Elle s'est développée de façon planétaire en diffé-
rentes formes de recherches. Ceux qui ne sont pas tombés
dans le fanatisme ou le sectarisme tournent en rond à la
recherche d'un second souffle.

– Oui, c'est comme les scientifiques qui avaient certaines
certitudes, et au fur et à mesure que les recherches avancent, ils sont de moins en moins sûrs ; les dogmes se
transforment au fil du temps.

– Ce qui était une aide à la recherche, devient une entrave
à la transformation.

– La transformation n'est pas une entrave. On se réduit à
une pensée, à un mot, à une image, on se pétrifie.
Regarde-toi : ton cœur bat, tu respires, tu marches, tu parles, tu es toujours en mouvement.
Le vivant est dans le mouvement, la transformation.

– La transformation du mouvement peut se découvrir
aussi bien dans la recherche intérieure qu'extérieure ?

– Tout à l'heure, je parlais d'équilibre : l'intérieur, l'extérieur, le jour, la nuit, l'expansion, la contraction, etc.

Celui qui est tourné seulement vers l'extérieur, vers la recherche matérielle, l'image, le bonheur, l'avoir, le succès,
la renommée, etc., se fourvoie.

Il passe d'un désir à un autre, d'un gadget à un autre.

Il devient dépendant des objets, et du regard des autres. Ils ont alors le pouvoir de vous rendre heureux ou misérable.

Un homme en bonne santé va immanquablement se poser des questions tôt ou tard.

C'est l'équilibre du balancier qui va et vient autour de son axe. **L'éveil se trouve partout à la fois.**

– L'homme a toujours essayé de sécuriser son territoire à l'intérieur des frontières. Il est très difficile d'y renoncer, même lorsqu'elles deviennent obsolètes. On touche peut-être là à la dimension spirituelle de la construction de l'Europe : son unité passe par l'abolition de toute frontière géographique et mentale, individuelle et collective. Ce dont nous parlons ne concerne pas seulement quelques chercheurs spirituels isolés et marginaux.

– L'homme est à lui-même son propre geôlier ! L'éternel présent n'est pas une frontière, ni intérieure ni extérieure. Ce n'est pas dans un territoire, dans une distance, dans l'espace ou le temps.

C'est une omniprésence au : "Ici et Là", au : "Je ne suis pas" et au : "Je ne sais pas".

– En t'écoutant parler de territoire, et d'omniprésence, je me rends compte que je ne peux m'empêcher (comme sans doute beaucoup de ceux qui te liront) de classer toutes

ces informations, de les évaluer par rapport à toutes celles que j'ai emmagasinées. Aussi, tout ce que tu dis, qui est l'expression vivante de quelqu'un libéré du besoin de se sécuriser dans un territoire, est immédiatement récupéré pour élargir mon territoire de sécurité favori : le mental.

– Le cerveau ne peut pas se comprendre, un œil ne peut pas se voir, la pensée ne peut pas se penser. Il y a quelque chose de plus immédiat à tout ça : la pure conscience, consciente d'elle-même.

La relation avec les éveillés efface, même si le mental enregistre. Leur action est au-delà des concepts et des conditionnements.
L'harmonie, la plénitude souriante qui habite chaque âme, reconnaît ce qui est.
Le lion qui a été élevé avec les moutons reconnaît qu'il est un lion quand il entend le rugissement d'un autre lion dans la forêt.
Plus l'éveillé va faire prendre conscience dans le vivant du chercheur que sa croyance au mouton est infondée, plus il va renaître à sa propre nature.

Une croyance est une idée fixe. Le chercheur s'est lié autour d'un arbre. Comme le petit éléphant qui, dès son jeune âge, a été attaché avec une chaîne et un anneau. Il grandit, on lui brise la chaîne en lui laissant l'anneau.

Il reste persuadé toute sa vie qu'il est enchaîné, car il lui reste l'anneau à la patte, mémoire de la prison.
Il est libre ! Mais il est enchaîné virtuellement, voilà la croyance !

Il en va de même pour les faucons apprivoisés. Quand ils deviennent adultes, le dresseur leur enlève leur anneau, mais **il faut les chasser pour qu'ils comprennent qu'ils sont libres !**
La croyance, c'est comme l'anneau, elle emprisonne la liberté, et rend vrai le prisonnier.

Nous avons fait la même chose, nous avons fixé l'anneau de nos croyances, nous auto-conditionnant, nous faisant prisonniers de nous-mêmes.
J'ai habillé la vérité de ma prison fictive, avec ma peur du réel.

– *Pourquoi ?*

– C'est le jeu de la vie, le mystère de la vie. Personne ne peut répondre à cette question, et si tu le reconnais et que tu l'acceptes, tu es libre de cette croyance aux questions-réponses. **Ne vole pas à Dieu des réponses**, sois Son mystère vivant et laisse-toi rêver, laisse-toi vivre dans l'acceptation du miracle de ce qui est.
Il ne te manque rien. Tu ne risques rien. Personne n'est isolé.

La peur d'être séparé d'avec toi-même est une croyance.
Toutes les autres croyances s'habillent, se camouflent derrière cette certitude.
Joue ta vie, sois la liberté, la légèreté du vent.
Le vent n'a pas peur de l'épouvantail. Il s'amuse avec lui.

– Je trouve que pour travailler sur cet aspect des croyances, les rêves sont un moyen merveilleux de se retrouver.

– Oui, là les barrières psychoaffectives de défenses sont en sommeil. Un travail est nécessaire à ce niveau.
Mais là, le danger reste le même s'il est objectivé : le rêve ne devenant plus qu'un objet de perception, un objet de compréhension, une explication psychologique de plus : le travail s'érige alors en réel.
Ce qui est un comble en parlant du rêve !

– Il y a des milliers de gens qui font des recherches psychologiques, et qui tournent en rond dans l'impasse des explications.

– Oui, certains travaillent le tronc, d'autres les feuilles, et les fleurs, mais c'est le travail sur la sève qui importe, la sève qui contient son auto-transformation.

– Oui, mais cette exploration de sa propre transformation se heurte au paradoxe de l'œil qui voit mais ne peut pas se voir.

– Il doit voir et reconnaître qu'il poursuit un mirage. Plus il avance, plus le mirage recule. Il est parti dans une mauvaise direction, dans une exploration où il voit des "autres", le "monde", comme étant la cause de ses problèmes. **Le problème, c'est lui, pas les problèmes.**

– *On justifie justement les techniques de méditation en précisant que c'est la seule possibilité pour l'œil de se voir. Tu dis que ce n'est pas dans l'expérience qui se déroule au sein de la méditation que "l'eurêka !" va se faire, à savoir que l'œil va se voir, mais que c'est dans le non-territoire, au-delà de toute frontière (méditation-action, intérieur-extérieur).*

– L'unité ne peut se reconnaître que dans la réunification de tout ce qui est. Toutes ces pensées-croyances sont des concepts. Le problème du chercheur, c'est de dire : "Je sème, **donc** je récolte, je vais changer ma vie."

– *"Je cherche, donc je suis."*

– Oui, la recherche du bonheur, du mari idéal, de la femme idéale, de la richesse. Le chercheur ne sait pas que tout cela est en lui, il se crée donc un objectif de recherche, **"lui"** séparé de **"je"**.

C'est lui-sujet, qu'il doit retrouver : le personnel et l'impersonnel.

Seulement, il ne sait pas, il ne peut reconnaître sa fiction, il ne la voit pas.

Il est identifié à un savoir de lui-même, à une forteresse de pensées-savoirs, alors que l'éveil est : "non-savoir".

L'éveillé peut aider à dénoncer tous ses objectifs, et faire apparaître la lumière sous-jacente à son histoire affirmée.

Le chercheur veut prendre quelque chose, mais il a tout en lui. Il y a une vaste manipulation de sa part.

Il veut changer les choses, il veut voler son avenir, et enterrer son passé.

Le chercheur n'accepte rien de ce qui est.

Il veut le pouvoir de changer sa vie et de transformer les autres, à son idéal de la relation évitée.

Il ne s'aime pas : alors, changeons les autres !!!

Cela revient à voler Dieu.

Je suis l'ombre de Dieu, sans pouvoir. Si je bouge, l'ombre bouge. Est-ce que je suis séparé de Ses pieds ? Non, je suis uni à Son pas, à Ses pieds. C'est Lui qui marche : "Je suis". Je ne marche que si Dieu marche ; il n'y a pas d'action personnelle. **Je suis le rêve de Dieu.**

–Alors, nous sommes une prothèse divine !

– Glorifie ton présent à la vie, et décapite toute histoire où tu te crois séparé des pas de Dieu.

Nous sommes la somme de tout ce qui est. Il n'y a pas d'un côté le hasard, de l'autre le déterminisme, l'inné et l'acquis. C'est toujours les deux en même temps.

– C'est tout le problème de la séparation qui se produit chaque fois que le mental et l'intellect mettent une frontière entre une chose et son contraire.

– Quand il pleut, l'eau choisit-elle d'arroser une fleur plutôt qu'une autre ?
C'est comme le soleil, il irradie à l'infini sa lumière, il dispense la vie uniformément à travers l'espace interstellaire.

– Nous avons beaucoup utilisé le mot "éveil", mais nous n'avons pas encore pris le risque d'une définition. Est-ce que tu veux bien prendre ce risque maintenant ?

– N'emprisonne pas ton âme dans une nouvelle définition.
On ne peut rien dire de l'éveil, on ne peut parler que de l'état contraire.
Tu es depuis toujours immaculé au cœur de tes questions.

Sois ta question vivante !

*   *

*

Jeux de mots et brèves de comptoir

Chercher l'éveil, c'est remuer la croyance,
Chercher la pureté, c'est remuer de la fiente.
Chercher la connaissance, c'est remuer l'ignorance,
Chercher l'inspiration, c'est remuer les concepts.
Chercher le bonheur, c'est remuer le malheur.
Chercher la vie, c'est remuer la mort, etc...
Chercher un objet-pensée, c'est oublier d' être.
Vous êtes déjà cela ! Ne cherchez pas.

Remettez-vous à l'heure dans chaque seconde qui passe.

Sois l'aveugle des mots, et tu verras les signes invisibles
qui relient la lumière au langage.

Les paroles d'un homme de **savoir** sont à comprendre.
Les paroles d'un homme de **non-savoir** sont à respirer.

Les paroles d'un homme de **savoir** expliquent le pourquoi,
le comment. Elles expliquent le vent.
Les paroles d'un homme de **non-savoir** sont la légèreté du
vent.

Les paroles d'un homme de **savoir** enferment, et tuent le
mot vent.
Les paroles d'un homme de **non-savoir** jouent et volent.
Elles sont le vent.

VOLER AVEC LES ANGES

D'où est né ce désir de voler comme les oiseaux,
De planer au-dessus des vagues et de caresser les flots,
De léviter et de quitter le poids de la terre ?...
Est-ce un mythe, une légende, ou un piège de l'enfer ?

Mais, soudain, au cœur de l'inattendu,
Un ange s'est posé, en mon âme tout émue ;
Il m'a appris à respirer dans l'espace, sans chimères,
Sans quitter mon corps, je suis aspiré hors de l'enfer.

Mon âme et mes poumons déploient enfin leurs ailes,
En mon immobilité, je rythme les mouvements du ciel,
Quel bonheur, quelle bénédiction,
Je vole, je vole. Quelle sensation !

Les pieds sur terre, je suis dans le ciel,
Pas besoin de léviter, c'est artificiel.
Légèreté du mot "corps", légèreté du mot "ailes",
Légèreté de la pensée, lègère, légère.

En chacun de nous est présente la liberté
De voler au-dessus du poids des paroles affirmées,
Respirer avec vos ailes, votre ange me l'a soufflé.
Tuez l'oiseau que, dans votre tête, vous avez enfermé !

Tu es déjà l'oiseau, l'ange et la liberté.

VOUS AVEZ DIT : BANALITÉ ?

L'ordinaire, le banal est mon quotidien ;
comment se fait-il que cet or brille en son sein ?

J'aime ce mot banalité, il me rappelle mon premier Noël !
Nous étions émigrés, nous habitions un taudis, mais je
n'y voyais que merveille.

La chaleur du poêle à bois entretenait la magie,
Sur la fonte rougeoyante, la casserole chantait l'Italie.

Mes parents guettaient, sur mon visage, le bonheur de la
surprise !
Leur regard émerveillé était souligné par la beauté de
leurs rides !

C'était la première fois que je voyais des oranges et des
bananes !!!
Je m'en souviens comme si c'était aujourd'hui, quelle
extase !!!

J'étais six ans, j'étais aujourd'hui.
Comme toutes les fois, je suis.

L'ordinaire, le banal est mon pain quotidien ;
comment se fait-il que cet or me nourrisse, en son sein ?

Parlez donc de spaghettis à mes grandes filles,
Et vous verrez le sens briller dans leurs papilles.

Rien n'est banal, rien n'est quotidien,
Seulement celui qui juge est séparé des siens !

Rouler à bicyclette, quelle banalité !
Pourquoi ce miracle ne s'est-il pas freiné ?

La première fois que j'ai dit les mots "ma fiancée",
Quelle banalité ! Jamais je ne m'y suis habitué !

Voir la glycine s'offrir au printemps,
C'est "or-dinaire", banal, mais présent.

L'ordinaire, le banal est mon quotidien,
L'or brille tous les jours en son sein...

Chaque matin, quand j'entends la cafetière tuf-tufer !
La voix de mon cœur-vapeur siffle "l'instantané".

Ne me parlez pas des "tartines" avec le pain d'autrefois ;
Pêches, framboises, cerises, c'est un tout, en une fois.

Présent à l'émerveillement, au cœur de chaque pensée,
Pourquoi suis-je toujours aussi étonné ?!

Chaque **mot** est une note, une couleur et une simple poésie,
Caché dans chaque mot, vivent diamants, or et géométrie.

L'art de vie est présence en "je suis" ;
L'art de Dieu est présence, c'est tout petit !

Tout ce que j'exprime n'est
rien.
L'essentiel est toujours
non-imprimé !

L'ÉPÉE DE FEU !

Julien : *Je pleure parce que je voudrais une épée de feu comme les "power rangers".*

Papini : Pour quoi faire ?

– *Comme ça, j'aurai le pouvoir.*

– Tiens, touche la table, comment est-elle ?

– *Froide !*

– Touche ta tête, comment est-elle ?

– *Chaude !*

– Tu sens que ta main est chaude ?

– *Oui.*

– Alors le feu magique est bien dans ton bras, c'est comme une épée de feu !

– O u i... *(grand sourire)*

– C'est un feu invisible, mais bien présent, c'est la flamme, l'énergie de la vie. Mieux qu'une épée magique, il ne te quittera jamais.

– *Même quand je dors ?*

– Oui ! tu n'as pas besoin de le rallumer, c'est un feu qui brûle toujours dans le cœur des guerriers invincibles comme toi.

– *Même quand la pluie tombe ?*

– Oui, aucune eau ne peut l'éteindre.

– *Ce feu est plus puissant que le feu des "power rangers" ?*

– Oui, ce foyer est à l'intérieur de toi, comme l'étoile en or, t'en souviens-tu ?

– *Oui, oui.*

– Ce feu est le soleil des galaxies, la lumière de la nuit, et la chaleur de ton cœur. Il te protège et te guide dans toutes tes aventures.

– *Même contre les monstres ?*

– Oui, le même feu est présent en eux, comme en toi, et si tu le reconnais, les monstres deviendront tes amis. Alors, ton sourire pétillant deviendra une arme magique, c'est le pouvoir de la bonté et la délicatesse du cœur.

– *(Large sourire.)*

– Tous les contes et légendes servent à te souvenir que la magie est déja présente en toi, dans chaque seconde de vie, **pas dans une histoire, où l'on va te vendre ou te faire croire qu'il te manque quelque chose pour être un merveilleux petit garçon.**

– *Mm ! mm !... (Grand sourire).*

– Toi aussi, quand tu seras grand, tu raconteras des contes le soir à tes enfants. En les embrassant sur les joues, tu sentiras aussi la chaleur de la vie, comme ce soir, je t'embrasse et je remercie le ciel d'être ton papini.

L'unité s'est révélée à travers plusieurs qualitatifs :
lumineux, sonores, significatifs, perceptifs,
et à travers les nombres.
Cela nous laisse la possibilité, lors d'un prochain livre,
d'aller plus loin dans l'introspection
des chemins de l'ignorance et des techniques
appropriées, pour faire levier
au rocher de l'inaccessible connaissance !!!

Éditions *A.L.T.E.S.S.*

'Art, Littérature, Témoignages, Écologie, Santé, Spiritualité.'

B.P. 72, 77833 OZOIR Cedex

Tél. 01.64.40.35.89 - Fax 01.64.40.27.57

Nouveautés et parutions récentes :

• **Choisir sa voie – les chemins authentiques de la réalisation de soi**, de Thierry Vissac. *Le chemin pour accéder à la plénitude et la vivre au quotidien.* 109 F.

• **Message des Himalayas (Babaji)**, de Maria Gabriele Wosien. *Un témoignage unique sur la vie et l'enseignement de l'Avatar Babaji, par une femme qui a vécu auprès de lui jusqu'à son "départ".* Nombreuses photos couleurs et noir et blanc. 129 F. Également disponible : **Babaji, ou la rencontre de la vérité**, de Shdema Goodman. 129 F.

• **L'Éveil à la Conscience universelle – ou la fin du cauchemar millénaire de l'homme**, de Johann Soulas. *Physicien français, l'auteur est déjà considéré par beaucoup comme le « Einstein de l'Éveil ». Il a mis au point une méthode originale et efficace pour « mesurer l'Éveil ».* 119 F.

• **Jamais deux sans trois – le Grand Troisième dans les relations humaines**, de Jean Marchal. *Dans ce livre très documenté, l'auteur montre qu'au cœur de toute relation, un troisième terme, que l'on peut appeler le Saint-Esprit ou le "Grand Troisième", est agissant.* 139 F.

• **Méditation – cours de base en dix leçons**, de Barry Long. *« Dans un style direct, ces dix leçons proposent des exercices simples, utilisables dans la vie quotidienne ; elles ouvrent une voie permettant à chacun d'atteindre le calme au cœur de lui-même, et de devenir de plus en plus conscient. »* 109 F.

• **Yogi Ramsuratkumar, le Divin mendiant**, de Michel Coquet. *Biographie captivante de l'un des grands sages contemporains vivant encore de nos jours en Inde.* Avec 8 pages de photos en couleurs. 139 F.

• **Flèches incendiaires – ou le mental aux abois**, de Solaris. *« En vérité, "je pense" est le Venin... L'antidote : le clair Joyau du nectar de l'Amour ! »* 59 F. Du même auteur : **Soleil au corps – la Vision souveraine du Feu agissant**, 59 F.

• **Les Paroles cachées**, de Baha'u'llah. *Selon l'auteur, l'illustre fondateur de la religion Bah'ai, pour construire avec succès un monde nouveau, il faut que le cœur de l'homme s'apaise, qu'il s'ouvre et laisse entrer en lui l'amour divin.* 59 F

• **Le petit livre des femmes – I. La sagesse au quotidien.** *Plein d'humour, de bon sens et de profondeur, ce petit livre, écrit par des femmes, s'adresse bien sûr aux femmes, et plus encore, peut-être... aux hommes !* 59 F.

• **Le petit livre des femmes - II. Le couple et les relations.** *Après le franc succès du premier volume, un deuxième recueil d'aphorismes savoureux, décapant, à la fois léger et profond.* 59 F.

• **Le petit livre des amants.** *Comment établir des bases saines pour toute relation intime. S'adresse aussi bien aux couples qu'aux célibataires.* 59 F.

• **La femme, l'amour, la liberté**, d'Osho. *« Le temps qui vient sera le temps de la femme. Depuis cinq mille ans, l'homme a pris les commandes, et il a échoué... Il faut maintenant libérer les énergies féminines. »* 119 F.

• **L'amoureuse danse de l'être – Réflexions sur l'art et la vie**, de Juan Luis Cousiño. *Peintre et poète, fondateur d'un atelier d'art, l'auteur évoque ce qu'est, dans son essence, l'art, et donc la vie.* Nombreuses illustrations. 59 F.

• **Sources vives.** *Recueil de textes mystiques de toutes traditions, rassemblés par France Noëlle.* 59 F.

• **L'Univers, corps d'un seul Vivant**, de Robert Linssen. *"Il n'y a aucune désunité entre les étoiles et l'espace, non plus qu'entre la terre et votre propre corps. Tout cela ne fait qu'un corps."* 119 F. Du même auteur : ***Au-delà du mirage de l'ego***, 119 F.

• **Les YOGA SÛTRAS de Patanjali**, dans la version d'Alistair Shearer, dont l'introduction est l'une des "plus remarquables", selon Arnaud Desjardins. *"Il serait difficile d'imaginer une période dans l'histoire du monde qui ait un besoin aussi impérieux du texte des **Yoga Sûtras**."* 109 F.

• **ISHVARA – ou l'Abandon au Divin**, de Michèle Karén. Dans un récit aussi profond que vivant, l'auteur montre comment l'enseignement contenu dans les *Yoga Sûtras* de Patanjali s'applique merveilleusement à notre vie quotidienne, pour nous aider à résoudre tous les problèmes. 109 F.

• **Ouverture spirituelle et travail sur soi**, de Roger Savoie. L'auteur propose une pratique de la spiritualité dont le bonheur est le fondement, un bonheur qui dépasse et englobe douleur et plaisir, tristesse et joie... 119 F.

• **Autobiographie d'un éveil**, d'Andrew Cohen. *"L'intensité de mon appel a toujours exigé la totalité de ce qu'un être peut donner : qu'il offre son cœur et son âme tout entiers à la Source elle-même."* 109 F. Du même auteur : **Pour une relation parfaite avec la vie**, 119 F.

• **Seize questions à un Maître Dzog-chen : Namkhaï Norbu Rinpoché.** Série d'entretiens avec un Maître éminent de l'enseignement Dzog-chen ("perfection totale"), voie qui permet d'accéder à la *connaissance de l'état primordial de l'individu, au-delà de toute identité".* 89 F.

• **Paroles d'Amma.** Enseignements spirituels de Mata Amritananda Mayi, une sainte indienne du Kérala qui fait régulièrement des tournées en France et dans le monde. 98F.

• **Frère Antoine le cosmomoine,** de Frère Antoine. Réflexions d'un ermite rieur et original sur la vie, la religion, l'amour... 119 F.

• **Renaître de ses cendres,** de Placide Gaboury. *Dans cette vie, on ne renaît qu'à partir de ses cendres. Ceux qui n'ont pas connu leurs cendres ne peuvent être ni forts ni créateurs.* 95 F. Également disponibles : **Mûrir ou comment traverser le Nouvel Âge sans se perdre,** 119 F, et **Une voie qui demeure,** essai incluant de nombreuses citations de mystiques, poètes et visionnaires de toutes traditions. 119 F.

• **Ooshi sur le chemin de la Grande Vie – Tome 2 : La Piste du chat,** de Jean Puijalon, illustrations d'Evelyne Crismer. La suite captivante des aventures d'Ooshi, en quête de lui-même... 129 F.

• **La Santé parfaite – Guide complet pour le corps et l'esprit,** du Dr. Deepak Chopra. Un exposé clair et captivant de l'approche ayur-védique, la médecine antique de l'Inde, pour la prévention et la guérison des maladies, ainsi que le maintien d'une santé optimale.
BEST-SELLER aux U.S.A, au Canada et en Europe. 139 F.
Également disponible : **Le Retour du Rishi,** autobiographie du Dr. D. Chopra, 118 F.

• **L'atome et l'éternité,** de Michel Fleury, professeur à l'Université de Montréal. *"Notre monde moderne éclaté cache ses blessures profondes sous l'orgueil de sa puissance technologique... La sagesse n'est jamais acquise ; c'est une perpétuelle conquête de tous les instants."* 109 F.

—> *Autres ouvrages disponibles (en distribution) :*

• **La mafia médicale,** de Guylaine Lanctôt. *Un livre qui dénonce avec clarté, intégrité et profondeur les aberrations et mensonges du système médical, et qui propose la clef pour passer de l'état de 'mouton' soumis à celui de 'cheval ailé'. BEST-SELLER* au Québec et en France. 130 F.

• **L'horreur économique,** de Viviane Forrester. *Un constat clair et affligeant de la situation actuelle.* 98 F.

• **Les affranchis de l'an 2000**, de Marie-Louise Duboin. *Récit romancé décrivant la société de demain, et comment nous pouvons vivre le paradis terrestre, sur la base d'une 'économie distributive'.* 110 F.

• **Le pouvoir de choisir**, d'Annie Marquier. Un excellent ouvrage, qui expose avec clarté comment passer de la "victimite" à la responsabilité créatrice, et atteindre ainsi la vraie liberté. 120 F.

• **Le principe LOLA**, de René Égly. *Lâcher-prise, amour et action consciente : telle est, selon l'auteur, la formule ("LOLA" en allemand) de tout succès réel, en vue d'une vie harmonieuse, saine et joyeuse à tous les niveaux.* 140 F.

• **Les sociétés secrètes et leur pouvoir au XXe siècle.** *Livre inédit retiré du marché en Allemagne, après 150.000 exemplaires vendus. Excellent compte-rendu sur la conspiration mondiale et les sociétés secrètes.* 159 F.

• **La dictature médico-scientifique – ou l'emprise des lobbies financiers dans le domaine de la santé**, de Sylvie Simon, préface de Philippe Desbrosses, expert auprès de la CEE en agrobiologie. 119 F.

• **Vaccinations : erreur médicale du siècle...**, du Dr. Louis de Brouwer. *Les dangers des vaccinations et leurs conséquences.* 145 F.

• **La vie et les tribulations de Gaston Naessens – le Galilée du microscope**, de Christopher Bird. *Péripéties d'un biologiste français exilé au Québec, inventeur du 'somato-scope'. Poursuivi pour charlatanisme à cause de son produit naturel, le 714 X, inventé pour soulager le cancer, il gagna finalement son procès.* 149 F.

—> *VIDÉOS :*

• **Les clefs de la souveraineté personnelle**, de Guylaine Lanctôt (VHS/SECAM), 3h, 145 F.

• **Orthobiologie somatidienne et CANCER**, de Gaston Naessens (VHS/SECAM), 55 mn, 130 F.

• **SIDA et théorie somatidienne**, de Gaston Naessens (VHS/SECAM), 27 mn, 100 F.

—> *N.B.* **Compter 30 FF par exemplaire pour les frais de port.**

Catalogue complet sur simple demande contre 7 timbres à 3,00 FF :

Éditions *A.L.T.E.S.S.*, B.P. 72, 77833 OZOIR Cedex

Tél. 01.64.40.35.89 - Fax 01.64.40.27.57

Achevé d'imprimer
en septembre 1997
sur les Presses de
l'Imprimerie Graphique de l'Ouest
85170 Le Poiré-sur-Vie
pour le compte des
Éditions A.L.T.E.S.S.
B.P. 72
77833 OZOIR-LA-FERRIÈRE Cedex
(France)

No. d'impression : 835
Dépôt légal : octobre 1997

Imprimé en France